小熊媽給中小學生的
經典&悅讀書單101+
【爸媽許願修訂版】

張美蘭 小熊媽 著　　NIC 徐世賢 繪

從一個想讓孩子閱讀好書的
初衷開始……

　　這本書其實在心中已經醞釀很久，但是有很多理由沒寫。如今寫了，也該說說理由。

　　當年我隨外子到美國研究時，長子小熊在美國讀小學。學校有個活動讓我記憶十分深刻，就是「閱讀星球」的計畫。

　　這是一個推廣閱讀的計畫，學校在圖書館外牆貼上太陽系九大行星（現在只有八大），給孩子每人一個代表貼紙，有太空人或是火箭造型，從太陽開始出發，每個星球都有一定點數，只要讀書、參加電腦測驗，就可以累積點數，點數越多，個人貼紙就能飛的越遠！

　　讓我最驚艷的，除了計畫的創意、執行的工具有效率外，還有美國小學的各年段書單，十分完整：在當地每一間公立圖書館，都可以找到每一個國小的專屬閱讀書單！書單分為：Kindergarten 該念的書、一年級該念的書、二年級該念的書……而且，除了書名、作者及出版社，還會列出每本書的單字量，實在是太專業了！

　　當我在圖書館幫孩子借書時，就曾感嘆：台灣，怎麼沒有類似的書單呢？

　　我們有「好書大家讀」這個很不錯的書籍推廣活動，但是它都是以年來計算，每一年又有好多本！老實說，其中不乏學者喜愛、可能教忠教孝、有口碑無票房的作品……其實，根據我的觀察，孩子們並不會主動去讀這些書，這點我實在覺得十分可惜。

　　我一直認為：閱讀，該是件快樂的事。在書中得到樂趣，必定是每個小讀者愛書的起點。

　　我家的孩子，每個年段都有媽媽給的指定書單。選擇這些書單背後

的理由是：我在誠品書店企劃許多書展的經歷、美國中文學校的教學累積，以及在台灣小學圖書館志工將近十年的實地觀察。

讓孩子愛上閱讀（不論是中、英文），其實是需要許多規劃與步驟的，而根據孩子的能力尋找書單，也是許多家長的困擾與需求。

2015 年，我在親子天下出版《小熊媽的經典英語繪本 101+》一書後，獲得許多家長的回響，他們異口同聲地來信問道：

「老師，可以推薦一下孩子該念的中文書嗎？」

說實在的，一開始真不好答應，因為我又不是文化部長、也不是什麼演藝名人，推薦書單雖做得到，但是也怕這樣做，無疑是野人獻曝。

可是，當我去全台巡迴演講、或去學校閱讀推廣的親子講座越多，越發現：**家長的確很需要一些中文的參考書單建議！**

因為書海遼闊，光是童書，就有國外的、國內的、橋梁的、成長的……到底孩子優先該讀哪些書？孩子們之間口碑好的童書又有哪些？這是一個很普遍的問題。

所以，根據《英語經典繪本 101+》一書的想法，在此我想推薦 101 本（套）適合孩子在國小、國中階段念的書。這些選書的參考基準是來自：「好書大家讀」、誠品與博客來的銷售排行榜、小熊小學的圖書館借閱狀況，以及我個人推廣閱讀的多年心得。

野人獻曝，是沒錯，但是希望給家長一些隨手可得的參考；此外，我也希望此書有拋磚引玉的功能，讓市面上更多童書推薦書出現，造福更多家長！

本書的分類，參考 1996 年時哈佛教授夏爾（Jeanec Chall）提出依據孩子的識字能力，將閱讀發展分為六個階段[*]：

1. 前閱讀期（零到六歲）；
2. 識字期（一、二年級）；
3. 流暢期（二、三年級）；

　　學習閱讀
　　Learning to read

4. 透過閱讀學習新知期（四到八年級）；
5. 多元觀點期（八到十二年級）；
6. 建構和重建期（十二年級以上）。

　　從閱讀中學習
　　Reading to learn

　　每個階段各有不同的任務。六個階段中，前三期為「學習閱讀」（learning to read），後三期為「從閱讀中學習」（reading to learn）。

　　所以，請讓孩子在小學三年級前，建立基本的識字量與流暢性，才能在之後的閱讀中，能解譯字詞、理解段落，避免讀了書卻不知所云，無法領受閱讀的成就與愉悅。

　　本書就是將書籍分為三階段，適合識字期（一、二年級）、流暢期（二、三年級）、透過閱讀學習新知期（四到八年級），甚至可以延伸到多元觀點期（八到十二年級）。

　　閱讀，其實是很個人的事情，但是也有雅俗共賞的書單，尤其是孩子們，他們口耳相傳閱讀好書的能力，並不比大人差。

　　這份書單的目的，並不是希望培養未來的哈佛學者，而是希望有更多的小小愛書人出現，讓他們去愛書、去超越平板、手機、電腦等誘惑，開心暢遊書海的美好與神奇！

小熊媽　張美蘭

2016 年 10 月 10 日

---

[*] 出處：Chall, J. S. (1996). Stages of reading development (2nd ed.). Fort Worth, TX: Harcourt Brace.

目 錄

Level I

低年級

008

大班～小二｜包含基本書單及高手書單｜

這階段的初期，父母仍應該與孩子共讀，一直到孩子能運用注音符號、自己讀書為止。親子共讀時，還可以採輪換朗讀的方式：爸媽讀一段，孩子讀一段，這樣可以知道孩子的認字能力在哪裡；孩子也不會因為認字困難而畏懼閱讀。建議中間穿插一些不太嚴肅的小測驗，測試不看注音時，孩子可以認出哪些國字？等本階段的書孩子都能流利地閱讀，就可以跳到下一階段了！

【選書標準】

1. 插圖多；
2. 讀起來有趣味；
   （先讓孩子愛閱讀最重要！）
3. 有注音、字體比較大；
4. 跟得上潮流話題。

【閱讀能力目標】

1. 能熟練運用注音符號；
2. 能利用注音符號自己閱讀繪本；
3. 能夠開始認讀基本的國字；
4. 能夠漸漸由拼讀注音，到不看注音認識國字；
5. 到小二應能認識 600~1000 個單字。

Level **II**

中年級

082

小三~小四 │包含基本書單及高手書單│

識字量的多寡，會影響到閱讀的成效！自小三小四開始，孩子開始從閱讀中學習新知，所以，中年級的閱讀能力培養，特別重要！此時期若無法建立流暢閱讀的能力，將會影響其他領域的學習，造成更多的學習挫折！

更重要的是，中年級是孩子人格養成的關鍵階段，也是理解力大爆發的階段。除了讓孩子愛上閱讀，也要填滿他們的好奇心與求知慾。想提升閱讀力，不應讓孩子只是被動的接受資訊，而是要讓他們學會主動地搜尋有用訊息！

【選書標準】

1. 文圖各半，甚至文重於圖；
2. 注音為輔，讓孩子漸漸習慣閱讀無注音文本；
3. 除了好笑、有趣，開始注重人格培養，給孩子正確的生命觀與價值觀；
4. 增加提升抽象思考、邏輯能力培養的書種。

【閱讀能力目標】

1. 能完全熟練運用注音符號；
2. 能夠不用注音符號也可以自主閱讀中文橋梁書、入門的少年小說；
3. 認讀 2000 ～ 2500 多個基本的國字；
4. 開始從閱讀中學習因果關係、邏輯推理。

156

小五～國中生 │包含基本書單及高手書單│

這是一個關鍵的年紀，許多人生觀的養成，都在這階段。五、六年級時，若能養成固定閱讀、好學不倦的態度，對於國中階段是一大助益。父母要把握這最後的黃金階段，首先，讓孩子養成固定的閱讀習慣；其次，則是要讓孩子有機會親近真正的好書。

這階段閱讀的目的，除了純粹好笑與樂趣之外，更要找到人格的典範、開展廣及世界的眼界。當孩子出現了閱讀偏食（通常是漫畫偏食），家長一定要注意，並給予適當的導正。畢竟，好的文字書，不但能鍛鍊孩子的抽象思考能力，更能強化識字能力、提供孩子日後寫作文的素材！

【選書標準】

1. 以文字為主，圖為輔；但好的插圖仍可激勵孩子愛讀書的心情；
2. 可以開始讀簡單的大人書，未必都要局限孩子讀兒童讀物；
3. 更注重人格與正確價值觀的培養，好書養成天使，壞書引領魔鬼，家長選書不可不慎！
4. 除了文學與科普，也要兼顧音樂、藝術等美感教育書，讓孩子有不同的眼界與對美的事物之好感。

【閱讀能力目標】

1. 能自主閱讀中文青少年小說；
2. 認讀 3000 字以上的基本國字；
3. 能從書中學到科學、品格、為人處事、音樂藝術等相關知識；
4. 能分辨什麼是好書，知道自己喜歡的閱讀種類，進一步自己能夠去找書來讀！

Level I

選書說明

·適用年齡：大班～小二
·含基本書單／高手書單

孩子剛進小學，有的人已會識字，但也有人ㄅㄆㄇ還搞不清楚。注音大會考，可能是孩子國小學習的第一個關卡。

在此階段，孩子還是應該讀些繪本，或是類似橋梁書的讀物。在此選書主要的考量如下：

1. 插圖多；

2. 讀起來有趣味（這是讓孩子愛閱讀的主因！）；

3. 有注音、字體比較大；

4. 跟得上潮流話題。

在小熊學校的圖書館裡，分為兩大區：繪本區與文字書區。繪本區有很大片的木地板，讓低年級的孩子可以在閱讀課裡坐在（或趴在）木地板看書。所以低年級選書時，我還是會把繪本選一些進來，而不是直接跳到橋梁書。

第四點是什麼意思？舉例來說，前陣子某美式速食店的兒童餐不送玩具，改贈送台灣出版的童書繪本，其中有一本《屁屁超人》很受到孩子喜愛，但也有家長比較少接觸童書，表示覺得書名不妥當……其實在圖書館當志工久了，會知道小小孩子們是很喜歡這類書籍的，像是《屁屁超人》、《屁屁偵探》，常是小孩子愛閱讀的潮流與話題。

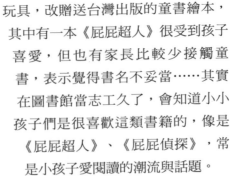

用大人的標準來挑書，孩子

未必領情，有時也要開放一些，先了解孩子的喜好，跟上兒童閱讀潮流來選書。

　　書單中有本土書，也有歐美作品，而占台灣兒童文學市場重要部分的日本作品，也收錄不少。因為地緣、文化的相近，還有日本兒童文學發展完整的緣故，台灣孩子比美國孩子能接觸到更多亞洲的文學作品；這是一件好事，因為我在美國圖書館觀察多年，發覺很多美國的兒童文學書，還是只重視美國本土作者的天下，最多加上一些英國或少量其他國家的童書而已。相較之下，台灣兒童文學市場，可就多元許多。

　　選書時，我還是加入了經典作品，如《西遊記》、《伊索寓言》等；不過為了與時俱進，選書時更選了孩子們讀完會粲然一笑、想再讀一次的新作品，如：《怪傑佐羅力》、《屁屁超人》系列等。

　　同時，雖然我養的是三個男孩，但也常觀察圖書館中女孩的喜好書種，所以東雨出版的「魔女」系列女孩書，也加入書單來平衡性別需求。

　　低年級可以看的書，其實很多。不過此處列出的 33 本書要是看過了，保證孩子的低年級生活充實又開心！

我也好想看...

Level I

給父母的建議與做法

小學一二年級的孩子，除了先將注音符號學好外，也是該從繪本（圖畫書）走入文字書的重要階段！

在這階段的孩子，應該培養以下的閱讀能力：

1. 能熟練運用注音符號；

2. 能利用注音符號自己閱讀繪本；

3. 能夠開始認讀基本的國字；

4. 能夠漸漸由拼讀注音，到不看注音認識國字；

5. 到小二應能認識 600~1,000 個單字。

根據相關教育文獻指出，幼兒園屬於「前閱讀期」，圖畫是主要關鍵；而國小一二年級則屬於中文閱讀的「認字期」，由發音理解單字，轉而變成由字形辨識單字。所以，認字期的孩子要用注音符號為輔，漸漸辨識中文字形為目標。

這階段的初期，父母仍應該與孩子共讀，一直到孩子能運用注音符號自己讀書為止。

不過，並不是注音流利以後就不需要共讀了，除非孩子已經養成自動每日閱讀的好習慣，否則，親子共讀永遠是讓孩子愛閱讀的最好藥引！

共讀時，可以觀察孩子對認字的興趣，如果發現孩子還是很吃力，要用注音來輔助，千萬不要心急。

親子共讀時，還可以用輪換朗讀的方式：爸媽讀一段，孩子讀一段，這樣可以知道孩子的認字能力在哪裡；孩子也不會因為認字困難而畏懼閱讀。

此外，每一本書都可以多讀幾次，只要孩子喜歡，不需要限制次數。每一次重複孩子都會有新的收穫。建議可以中間穿插些不會太嚴肅的小測驗，測試不看注音時，孩子可以認出哪些國字。

等孩子漸漸不需要幫忙也能自己看懂國字時，就開始選擇此階段的下一本書給他讀。

有時候，下一本書孩子未必有興趣，可以跳過讓他往下讀。有些書就是對孩子的胃口，但也有踢鐵板的時候，沒關係。讀書是很自在的事情，以孩子的喜好為主，不必勉強。

有家長會希望孩子用朗讀來增加閱讀能力。我認為這是一種選擇，但也可能會打擾文字在腦中處理的速度。所以，可以要求孩子朗讀，但並非必要，讓孩子能安靜、自在的閱讀，也是一件好事。當然，如果是想糾正孩子的中文發音，那又是另一回事了。

等本階段的書孩子都能流利地閱讀，就可以跳到下一階段了。年紀不是問題，因為閱讀能力絕對是可以跳級的！

《水墨漢字繪本》系列

作者：保冬妮
繪者：朱瑩
出版社：小樹文化

學習關鍵字
語文學習、漢字起源、
六書

特色
用水墨圖畫的方式解釋
中國文字演變的由來。

孩子樂讀指數
★★★★

父母教育指數
★★★★★

內容及重點

《水墨漢字繪本》歷時三年完成，作者保冬妮精心挑選最有畫面感的古漢字，每一個字都代表一個古人的智慧。全套書用水墨畫，讓孩子從故事中認識最美的漢字文化。

小熊媽的推薦理由

這是一本用簡單方式介紹六書的入門書。

什麼是六書？根據維基百科的解釋：「六書，就是由學者把漢字的構成和使用方式，歸納成六種類型：象形、指事、會意、形聲、轉注、假借。其中象形、指事是『造字法』，會意、形聲是『組字法』，轉注、假借是『用字法』。」

本套書介紹的是前四種：象形、指事、會意、形聲，其漢字演變的圖畫範例。

有人會問：孩子有必要這麼小學六書的知識嗎？其實，我家老大四年級時，導師就介紹了六書，而他上國中後，國文變難很多。有很多文言文許多同學都讀不懂，小熊也是；但是若考六書，小熊就沒問題，因為他說：「老師在小學就教過了！」

所以，本書有其實用性：以繪本的方式，讓孩子早點了解中國字造字的原則。

東漢・許慎《說文解字・敘》提到：

「象形者，畫成其物，隨體詰詘，日月是也。」

「指事者，視而可識，察而見意，上下是也。」

「會意者，比類合誼，以見指撝，武信是也。」

簡單的插圖搭配漢字的故事，讓孩子輕鬆搞懂「字」的由來與演變。

「形聲者，以事為名，取譬相成，江河是也。」

「轉注者，建類一首，同意相受，考老是也。」

「假借者，本無其字，依聲託事，令長是也。」

老實說，讓小學生去理解上面這段話，實在有難度，但是用看繪本的方式來了解，就簡單多了。

我曾帶孩子參加過許多屆的「漢字文化節」，一直覺得漢字真是世界上最優美的文字了！一個方塊字，各有一個意義。雖說英文用 26 個字母排列組合就好，但是我們現在去博物館，還能看懂幾千年前中國古人寫的字畫，感覺很奇妙⋯⋯因為台灣是目前唯一還在通用中文正體字（繁體字）的地方。

讓孩子早點理解漢字造字的原理，體驗漢字的優美與博大精深，這套繪本是很好的敲門磚。

影音延伸閱讀

系列介紹

漢字的演進

Level I

基本書單

高手書單

《屁屁偵探》系列

圖文：Troll
出版社：遠流

學習關鍵字
偵探類繪本、觀察力、推理、找一找（I SPY）

特色
小孩子就是喜歡「屁屁系列」，不管是屁屁超人還是屁屁偵探，只要有這搞笑點，通常都很愛讀！尤其是加上偵探情節，又幽默又動腦，包管小男孩會無法抗拒地愛上它。

孩子樂讀指數
★★★★☆
（男孩★★★★★）

父母教育指數
★★★☆

內容及重點

屁屁偵探是一個愛吃地瓜派的名偵探，每次遇到難題，他都會用像水蜜桃一樣的大臉，到處努力辦案；而最後總會有用祕密武器（猜猜看是什麼？）、逼退壞人的偉大時刻！

小熊媽的推薦理由

屁屁偵探，光書名與造型就已經很引人注目了。正如譯者張東君所說：「對小朋友們來說，這是能夠把『平常不能說的字眼』掛在嘴邊而不會挨罵的機會！」

屁屁偵探長得很特別，他的臉像一個大水蜜桃，又像小嬰兒的屁屁；就像福爾摩斯一樣，他帶著偵探標準配備：貝雷帽、格子裝，還有一只放大鏡，到處找線索。他特別喜歡熱飲料與地瓜派。

本書是一本藏滿機關，讓大小讀者可以比賽觀察力與注意力、說故事能力的好書。比如其中一集的內容是：鎮上人氣點心店的點心全都離奇消失了，老闆的孫女求助屁屁偵探。屁屁偵探根據犯人在案發現場留下的腳印、目擊者的證詞、掉落的糖果點心，發現嫌犯可能是公寓「看起來好甜莊」的住戶；然後他又蒐集了十名房客的說詞，抽絲剝繭，找到關鍵破案線索，成功逮捕犯人。

在破案的過程中，有無數的有趣圖片，提供各種證據，讓孩子在閱讀中練習觀察、推理，這也是作者向孩子提出的「挑戰帖」。所以只要孩子用心觀察，一定會找出蛛絲馬跡。

這本書雖然沒有很厚，卻真的是本讓人「讀你千遍也不厭倦、找你幾次也找不完」的有趣推理書。我覺得本系列與美國很有名的《I SPY》系列，有異曲同工之妙。讓孩子在看圖尋找的過程中，找到的不只是答案，還有邏輯訓練與許多爆笑的樂趣。

譯者張東君有一段導讀，讓人很想拍桌大笑：

「由於這本書實在是有眾多的角色和太多的哏需要找，我們很有可能會陷入膠著狀態。萬一如此，那就學學屁屁偵探丟顆砂糖到嘴裡當甜點咬一咬，促進思考速度吧。當然，千萬不要學他逮捕犯人時做的事（＝放屁讓犯人就範！），那只有在書裡才可以。在現實生活中若是你這樣做的話，我可是完全不會幫你承擔後果的喔！」

這套書我家熊哥熊弟都看得哈哈笑，也順便動了腦，當然要推薦一下。

這套日本大受歡迎、很神奇的繪本、最近又出了圖文橋梁書，因為孩子們實在太喜愛了，是圖書館中的搶手書。

本套書也不是完全給學齡前幼兒看，小一到小六都適合，聰明的大班生更可以試試！

影音延伸閱讀

來看一位可愛的小弟弟用廣東話介紹此書，可看到內頁精彩畫面

《我的第一套好好吃食育繪本》系列

作者：吉田隆子
繪者：瀨邊雅之
出版社：親子天下

學習關鍵字
科普、健康、烹飪類

特色
可以對照著書一起動手煮飯，讓孩子愛上吃飯的食育繪本。

孩子樂讀指數
★★★★★

父母教育指數
★★★★

內容及重點

本書共有三冊，內容如下：

《小奈奈的好好吃蔬菜飯》：小奈奈非常討厭吃蔬菜。奶奶為了導正她對蔬菜的觀感，與她一起動手磨紅蘿蔔泥、切蔬菜，做出「彩霞蔬食飯」！實在太好吃了，讓小奈奈改變了對蔬菜的反感。

《小奈奈的超厲害生日大餐》：媽媽生日那天，小奈奈和奶奶準備一起做一份超級特別的「生日大餐」給媽媽，不是鮑魚或海鮮，而是媽媽喜歡的食物，讓媽媽健康又感動！

《小奈奈的香噴噴烏龍麵》：本書可以讓孩子看圖學做好吃的烏龍麵。書中奶奶帶著小奈奈磨麵粉、揉麵糰、切麵條、煮湯頭，一起做出超Q彈、滑溜溜又香噴噴的烏龍麵，是十分實用的繪本式食譜。

小熊媽的推薦理由

本書一套三冊，是我家老三，四歲的熊董很愛看的一套書，並且一面讀，一面吵著要做做看。

我家男孩子從小不愛吃青菜，為此到了美國後我努力學做包子、餃子，好把滿滿的青菜包入其中。2014年這本繪本上市，真讓我有相見恨晚的感覺。

我在美國時結交不少日本外派的媽媽們，她們的確喜歡在電子鍋煮飯時，加上松茸、海帶芽或其他東西，讓白飯不只是白飯，為了讓孩子吃入更多養分。《小奈奈的好好吃蔬菜飯》就是這個概念，把胡蘿蔔與蔬菜都一起丟入電鍋煮，

顏色多美麗！

我覺得本書還有一個重點：做菜示範。看繪本時就可以讓孩子看到製作步驟，像烏龍麵還是由打麥穗這一步開始，太神奇了。接下來的步驟其實不難，家長可以與孩子實做烏龍麵，尤其是用腳踩的那一部分，我家男孩可樂得蹦蹦跳！

低年級的孩子，很適合自己閱讀，最好親子動手一起做做看，讓健康與親情同步精進，也讓更多不愛吃菜的孩子有新的選擇。

此外，康健雜誌也出版了一套《頭好壯壯食育繪本》系列，很適合找來當作搭配閱讀。家有吃飯戰爭的父母，試著用繪本來解決問題吧！

影音延伸閱讀

《小奈奈的好好吃蔬菜飯》兩分鐘影片

康健《頭好壯壯食育系列》繪本

Level
I

基本書單

高手書單

《我種了高麗菜》

圖文：陳麗雅
出版社：小天下

學習關鍵字
自然觀察、生命教育、
珍惜食物、美學

特色
台灣出版的科普生態類
繪本，畫風十分細膩，
令人驚豔。

孩子樂讀指數
★★★★

父母教育指數
★★★★☆

內容及重點

　　故事描述一個小男孩和媽媽買了高麗菜苗回家，小男孩
興致勃勃地開始種高麗菜。

　　但是當高麗菜苗一天天長大，許多現實的農業問題也陸
續出現：雜草叢生、葉子被青蟲啃得坑坑洞洞……小男孩為
了抓蟲、除草，忙得不可開交。還好後來蜘蛛和胡蜂來幫
忙；最後高麗菜終於可以採收了，小男孩安心地品嘗自己種
的高麗菜（因為沒有農藥），也算上了一堂最實際的植物與昆
蟲生態課。

小熊媽的推薦理由

　　本書是台灣第一本讓孩子能認識高麗菜一生的自然生態
繪本，由資深繪本作家陳麗雅繪製，畫風十分精緻完美，將
日常餐桌上常見的食材——高麗菜當作一本書的主角，畫成
生動的繪本，帶領孩子認識神奇又好吃的高麗菜，同時在書
中觀察菜園裡的昆蟲和植物。

　　老實說，我自己曾在美國試種過高麗菜（但沒成功），也
看過一位中國人在自己的豪宅門口種了好幾棵高麗菜，許多
人嘖嘖稱奇地去觀光，成為當地的「笑談」——因為外國人
是不會在豪宅門口種可以食用的青菜的，但是中國人勤儉的
美德，連門口那塊地都不放過！

　　說實話，台灣孩子絕對吃過高麗菜，但很少人知道高麗
菜最後會高高地開花、結果。這本書最後揭露的事實，讓我
家孩子驚訝地張大嘴巴，連我也是。

書中的插畫十分細膩動人，作者還設計了一個超過 90 公分的大拉頁，將高麗菜的成長過程：小幼苗、結球、採收、開花、結果，完整呈現，是本非常寫真的生態類科普繪本。

本書最值得稱道的是：能讓孩子更了解自己常吃的菜，是如何從一株小苗成長茁壯，最後來到餐桌上。俗話說：「沒看過豬走路也該吃過豬肉。」（原本應該是「沒吃過豬肉也看過豬走路！」不過現代孩子正好是相反的）這本書則是讓孩子「有吃過高麗菜也看過它成長」，的確是一本很貼近孩子真實生活的科普類好書。

影音延伸閱讀

書中有更多的祕密，
可以上網收聽

小天下影片介紹

Level
I

基本書單

高手書單

細膩精緻的畫風，既有照片的寫實效果，又有插畫自由安排構圖的優點，讓孩子彷彿從高處看又像置身在菜園裡，兼具俯瞰與細觀的觀察角度。

《法布爾爺爺教我的事》系列

作者：小林清之介
繪者：高橋清、金尾惠子、森上義孝、瀧波明生、松岡達英
出版社：遠流

學習關鍵字
科普類繪本、昆蟲、自然觀察

特色
法布爾《昆蟲記》中的「明星級昆蟲」繪本精選。

孩子樂讀指數
★★★★☆

父母教育指數
★★★★★

內容及重點

　　本套書是法布爾的《昆蟲記》兒童繪本版，以「一本書介紹一昆蟲」的方式，介紹法布爾觀察過的幾種很特別的昆蟲。是讓孩子了解昆蟲大師的入門套書。

小熊媽的推薦理由

　　在東方，日本漫畫大師手塚治虫熱愛昆蟲，還畫過昆蟲觀察圖鑑；在西方，提到昆蟲，則不可不知法布爾。

　　家中若有喜愛昆蟲的孩子，一定要讓他看看法布爾的《昆蟲記》，這套書是法布爾耗費 40 多年心血完成的名著！

　　兩世紀以來，法布爾的《昆蟲記》影響了無數的科學家、文學家與普羅大眾。在文學與科學非凡的成就上，舉世推崇：大文學家雨果盛讚其為「昆蟲學的荷馬」；演化論之父達爾文讚美他是「無與倫比的觀察家」。

　　法布爾在《昆蟲記》全書中，融合了細膩的自然觀察、法國式的幽默，描寫十九世紀法國南部的自然風情，書中有大量翔實的第一手觀察，將複雜的昆蟲世界完美呈現在讀者面前。

　　在此推薦的這套，是精選繪本版，由日本知名生態畫家與小學館文學賞得主聯手創作，包括「繪本日本賞」得主松岡達英、「EEA21 展西畫大獎」得主瀧波明生，以及金尾惠子、森上義孝等擔綱，插畫十分精緻，是讓孩子入門法布爾《昆蟲記》的敲門磚。

Level

I

基本書單

高手書單

　　繪本中的主角有：糞金龜、泥蜂、蟬、捲葉象鼻蟲、避債蛾、螳螂等，書中描述這些特殊昆蟲的神奇生活方式，還有牠們不可思議的奇異生存技能，讓孩子可藉由繪本中的圖與文巧妙結合，認識法布爾仔細研究過的重要昆蟲。

　　我家老二就是藉由此套書而愛上法布爾《昆蟲記》。如果您家孩子也對這套繪本很有興趣，請記得將來一定要讓他試試全譯本的《法布爾昆蟲記全集》，絕對不會失望！

　　建議本書可搭配其他的昆蟲圖鑑書，一起閱讀，讓孩子開闊更多對昆蟲世界的眼界。

影音延伸閱讀

公視曾以此套書
當作禮物

北港國小小朋友
介紹此套書

張爸爸讀書會 -
昆蟲記 4

《我看見一隻鳥》

圖文：劉伯樂
出版社：青林

學習關鍵字
自然觀察、台灣生態、
鳥類

特色
介紹大坑自然生態區中
常見野鳥近 30 種，各
式精細描繪的鳥類活靈
活現、栩栩如生，值得
細細欣賞。榮獲 2011
年開卷好書、2014 年
豐子愷兒童圖畫書獎
「華文原創圖畫書」首
獎。

孩子樂讀指數
★★★★

父母教育指數
★★★★★

內容及重點

在大坑自然風景區裡，小女孩跟著媽媽一邊玩，一邊完
成自然觀察的作業。

小女孩畫了一隻從來沒有看過的野鳥，好奇的她想跟媽
媽一起去找這鳥兒的名字。一路上，她們看到了麻雀、野鴿
子、五色鳥、台灣藍鵲……還有好多好多鳥類。原來大坑自
然風景區有這麼多種類的鳥，不仔細觀察還真不知道！感謝
作者都幫忙一一畫出來，讓大家開了眼界。

小熊媽的推薦理由

其實，我本來很想推薦全套「旅行台灣繪本系列」，因
為這套書每本都很值得一看，藉此讓孩子更了解台灣。不過
這套作品實在太多，所以決定挑其中的代表作來介紹。

本書作者劉伯樂以精細的筆觸，畫出大坑山中的各種鳥
類特徵，繪本故事內容有趣，更重要的是把大坑的自然風景
與生態，介紹給國際社會。十分難得的是，本書獲得 2014
豐子愷兒童圖畫書獎 —— 華文原創圖畫書首獎的殊榮，是台
灣繪本界的光榮。

我非常欣賞劉伯樂，他是 1952 年出生於南投的台灣畫
家，小時候住在偏遠山區，母親為了他的學業「三遷」到平
地；創作作品曾獲第一屆「全國油畫大展」特優獎。現在他
用美術專長為孩子創作台灣本土繪本，本書就是極其傑出的
佳作！

我看過一段作者劉伯樂的專訪，描述他童年窮苦，常要

負責找餐桌上的野菜。他說：

「家裡常常空鍋冷碗，我是唯一的小孩，就有一種『要帶菜回來』的責任感。」

劉伯樂從小為了三餐，到野地四處尋找食材，不僅培養出對自然界敏銳的觀察力，也成為他日後創作的泉源。就像他說：「我會把苦日子變成很好玩的日子。說起來，苦日子反而是很有建設性的！」（摘自博客來「人物專訪」，陳俶芬／文）

感謝劉伯樂的生花妙筆，我家孩子看完本書後，都對賞鳥增加許多興趣，也更了解關於台灣鳥類的知識。

劉伯樂還有一本書《我砍倒了一棵山櫻花》，書中記錄了作者山中純真質樸的生活，同時也傳遞「山林是一座寶庫」的概念——山林裡可以尋找到野生刺莓和百香果，野地裡有各式各樣的野菜，這些都是作者小時候的生活觀察，把人們依附山林維生的生活，描繪得栩栩如生，十分值得一讀。至於作者為何要砍倒一棵山櫻花樹？就請孩子自己去找答案吧！

影音延伸閱讀

文化部動畫

作者劉伯樂創作心得

Level I

基本書單

高手書單

大面積的情境插圖，搭配少量文字，讓低年級孩子在無壓力下，學到了各種鳥的知識。

《地圖》

作者：亞歷珊卓·米契
　　　林斯卡、丹尼
　　　爾·米契林斯基
出版社：小天下

學習關鍵字
世界觀、地圖

特色
2013年入選紐約時報
年度最優秀童書繪本、
2013年義大利安徒生
獎、2013年法國女巫
獎、2013年英國水石書
店年度好書決選名單。

孩子樂讀指數
★★★★

父母教育指數
★★★★★

內容及重點

　　作者用豐富有趣的手繪地圖，介紹世界各州、各國的地理、特色、食物、伴手禮，超大開本設計，讓小讀者可以由看圖說故事中，理解許多國家的特色和文化背景。

小熊媽的推薦理由

　　本書很大，超級大、無敵大！所以很適合小小孩與幼稚園、低年級小學生──翻開來看圖說話，大大的頁面、大大的地圖，感受十分震撼。

　　我對本書最深的印象，是在 2015 年初的台北國際書展展場上，小天下出版社對此書，真是用鑼鼓喧天來推廣！除了每天都能看到他們在 Facebook 的宣傳：今天邀請某某名人來讀《地圖》了、現場小朋友一直抱著《地圖》愛不釋手……他們成功地運用了置入性行銷！最後，讓好奇的我，也忍不住去收藏一本《地圖》。

　　有了這本大地圖，我家孩子可以常常想像：去澳洲看袋鼠、雪梨歌劇院；去智利（好長的國家啊）看摩艾石像、智利紅鶴、玉米派；去南非共和國買南非三明治、逛逛克拉哈里沙漠；去埃及看尼羅河、帝王谷、人面獅身像；到俄羅斯看俄羅斯娃娃、猛獁象遺骸、北極熊……以前在旅遊書或地理課本裡的東西，現在用童趣的方式畫成一張張地圖，感覺親切許多。

　　本書不像傳統地圖十分死板，反而充滿簡單的童趣，這應該是此書的最大特色。畢竟喜歡研究真正地圖的孩子並不

多，但把這本書當樂趣來讀的，就不少了。

　　家裡有一本地圖書的好處是：牆壁不用貼超大地圖。因為大地圖每個國家都很小，有時真的看不盡興，而這本大的地圖可以隨時翻閱，還可以知道各國的美食、原住民、知名歷史人物、物產、特有生物，作者實在很貼心。最令人感動的是，當我看到台灣的代表：台北 101 ！本書其實很適合全家一起讀，大人也能從地圖中找到屬於自己的樂趣。

　　有一天我家兒子在看新聞：前總統馬英九的辦公室裡，掛了大大小小的地圖，還有梯子爬上去隨時可看，增加國際觀。我家男孩很可愛，看這則新聞竟然說：

　　「如果馬總統知道有這本《地圖》大書，可能也會買一本放在書桌旁邊吧！因為不用爬樓梯去看大地圖，只要有這本摺疊式大地圖，一切就搞定了！」

　　呵呵，孩子總是這麼可愛。不過不管總統是怎樣有世界觀的，孩子的確可以藉由此書增加世界觀。我和孩子一起看奧運和世界盃足球賽時，都習慣把實際的大張世界地圖拿出來對照，順便跟孩子講講比賽國家的風土民情；現在有了此本地圖書，做這件事將更容易、也更有樂趣了。

文史旅行家謝哲青
介紹本書

資深主播周慧婷
介紹本書

《知識大迷宮》系列

作者：香川元太郎、香
川志織
出版社：小天下

學習關鍵字
迷宮、綜合知識類

特色
想要解出書中的問題，
必須先讀懂本文中的知
識！是可以玩迷宮又可
以學知識的套書，大受
日本及台灣孩子歡迎。

孩子樂讀指數
★★★★★

父母教育指數
★★★★

內容及重點

一邊遊戲、一邊解謎，學習各種學科的知識，包括生
物、歷史、自然、文學等，寓教於樂。

小熊媽的推薦理由

我在國小擔任了 12 年的圖書志工，很喜歡觀察孩子到
底愛讀哪些書？這一套迷宮系列真的是低年級的最愛！他們
一進圖書館最先找的就是這套系列的書。喜歡這套書的小朋
友，真是不計其數……尤其是小一新生！

我記得這套書常常被小一的學生預約，我家老三熊董事
長學校裡，共有兩套這樣的迷宮系列，每一本都被翻到快爛
掉！我們志工中有一位專門負責補書的媽媽，最常診斷的病
人就是它們，因為小讀者實在是太愛這系列了。

我覺得作者香川元太郎很神奇的地方，是他知道這年紀
的孩子喜歡迷宮之外，還發揮創意把各種東西都做成迷宮的
遊戲！比如說宇宙星球、童話故事、動物演化、海底世界，
還有各種交通工具！

我家老二文青男，小的時候也十分愛畫迷宮，我還記得
他在自己的學習便盆上，拿著迷宮書畫了好久！我也發現圖
書館中這些迷宮書，被小讀者忍不住拿筆畫了走出迷宮的軌
跡……

就認知心理學的觀點來看孩子會喜歡上迷宮書，是認知
的一個大進步，因為接下來他們就學會怎麼樣推理：如何找
到最好的方法走出迷宮？這是一種試誤學習，也就是可能遇

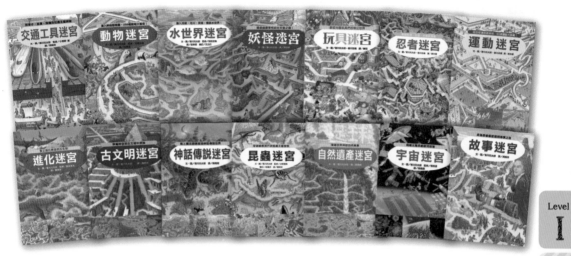

到困難的圖形或者是阻礙就知道要繞路往別的地方前進！

　　除了讓孩子練習走迷宮、學習邏輯推理之外，這套書其實很有教育意味，可以讓孩子了解很多知識與想像空間，例如：海底世界能看到好多不同的生物，宇宙會看到很多星球與行星，童話故事則有好多不同的有趣故事穿插在裡面……難怪小朋友們愛不釋手，十分佩服作者的創作功力！

影音延伸閱讀

小朋友介紹迷宮書

除了走迷宮，還有
多種玩法！

地面和天花板各
有立體迷宮。

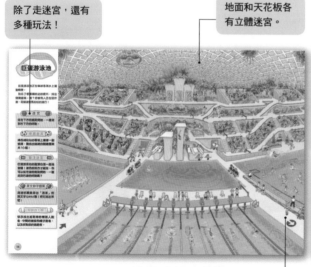

孩子最愛找找看！總能從
細節中找到驚喜。

各種不同風格、充滿想
像力的立體迷宮！

「找小青蛙」系列繪本

作者：張美蘭
出版社：野人文化、小康軒

學習關鍵字
雙語繪本、數字與字彙；自己動手做餅乾

特色
利用歡樂的夜市、美食展場景，讓孩子學會不同的英語單字。

孩子樂讀指數
★★★★★

父母教育指數
★★★★☆

內容及重點

三隻青蛙兄弟：尼可拉斯、尼可拉基、尼可拉皮，一起做餅乾，一起在火車與美食展中尋找夥伴、體驗美食！

小熊媽的推薦理由

創作本系列繪本的緣由，是因為有人送我一套用品，包括了牙刷架、肥皂盒、洗手乳瓶還有擦手巾的握把，都是可愛的小青蛙！而且我又有三個男孩，雖然自稱為熊家族，但是喜歡小青蛙的我、就把三個兒子畫成了小青蛙，為他們編了一些故事。

這三本書，第三本出版的《我做的手工餅乾太好吃》其實是第一個故事！故事的內容，就是我家孩子在美國做手工餅乾的回憶。

以前我們在美國中西部居住的時候，冬天十分的漫長寒冷，孩子們不能出去玩，就養成了和媽媽一起烘焙餅乾和麵包的習慣！我

《我做的手工餅乾太好吃》書封、內頁圖片經康軒文教事業股份有限公司授權使用

家老二特別愛吃，所以有一次烤了餅乾要送老師，他卻自己吃了一大半！於是就出現了這個可愛的故事。

接下來就是「找小青蛙」系列，在創作餅乾繪本時構想出三個青蛙小主角的原型後，我家老三常常問我：可不可以畫一本繪本送給他呢？老三很喜歡玩 I-spy 遊戲（找找看）及火車，所以就有了《20 節火車找 20 隻青蛙》的故事！

在本書中，其實是把夜市、園遊會中常出現的一些元素，結合不同的動物特性，讓他們在不同的火車車廂中負責不同的攤位，例如：企鵝賣鮪魚刨冰、貓咪擺撈金魚攤位；再把 19+1 隻小青蛙藏在每頁中，讓孩子有找尋的趣味。

孩子閱讀故事時，除了可以了解各個動物的一些特性、相對的英文名稱，更可以把夜市與園遊會美好的、有趣的回憶，結合在一起！

本書出版後，獲得許多好評，於是又出了第二本，講的是《20 隻青蛙的世界美食大冒險》。

美食，是人們共同的喜好，但是小青蛙要怎麼樣嘗遍各種美食、還能結合趣味性與教育意味呢？當然就是本書的亮點！不劇透，大家自己去看一下吧！

我一直希望創作一種能夠讓孩子在開心中學習、同時學會新的英語字彙的繪本，我家老三總能在這系列書中找到不同的樂趣，在此也推薦給您！

影音延伸閱讀

欣姐說講故事— 我做的手工餅乾太好吃

《20 節火車找 20 隻青蛙》介紹影片

〔茉莉家讀繪本〕親子共讀

《車票》

作者：李家同
繪者：鍾偉明
出版社：聯經

學習關鍵字
成長、抉擇、孤兒、修女、母親

特色
李家同所寫的、最為人所流傳的感人故事，已被改編為繪本、電視劇與許多相關作品。

孩子樂讀指數
★★★★

父母教育指數
★★★★☆

內容及重點

一個棄嬰最後發現自己被母親遺棄的愛的理由。故事告訴我們：有時候，人不得不做一些選擇，即使會被人誤會，也要去做。

小熊媽的推薦理由

本書改編自李家同教授寫的故事，是一個網路也瘋狂流傳的故事。但是現在的小學生未必看過，所以我特別挑出本書的繪本版，讓孩子們有機會欣賞。

故事描述一個小男孩，出生不久後就被遺棄在火車站，後來被送去新竹天主教德蘭中心，由修女撫養長大。因為接受完善的教育，長大後，他終於成為一位有為的青年。

某次，他回去探望修女，修女交給他當年夾在襁褓中的公車及火車票票根，希望他能藉此找到身世線索。但是男孩心中對母親當年狠心拋棄還是嬰兒的他，一直難以釋懷。

修女還是鼓勵他去尋找母親，因為男孩已有光明前途，沒理由讓自己的身世之謎，成為一輩子心頭的陰影。

男孩最後踏上了尋親的旅程——前往屏東的一個小山城，發現許多關於自己的過去，也對自己的親生母親遺棄自己，有了完全不同的看法……

這故事我第一次讀時，就感動地流下眼淚，小熊哥也是。後來在老二小小熊四年級時，附近學校一群志工媽媽組了劇團，把這故事改編成真人戲劇，讓小小熊全校同學都來欣賞。觀賞的同時，許多孩子當場都流下了眼淚，一同陪看

繪者將故事主角抽象的心情，描繪得栩栩如生。

的志工家長與老師們也眼眶泛淚⋯⋯

　　小小熊後來還特別找了這個繪本來看。他說，看完以後才知道主角被遺棄是有理由，而且遺棄的出發點竟是善良的！主角的母親竟然多次跑去偷偷看他，並拍下照片。

　　我告訴孩子，這些照片，是一個無奈母親最大的祝福；所以很多事情不能只看表面，有時真相不是我們想的那樣，應該要盡力去理解事情背後真正的原因。

　　李家同教授是我很敬佩的人。他是台大電機系學士、美國加州大學柏克萊分部電機博士。擔任過清華大學應用數學研究所所長、資訊研究所所長、靜宜大學校長等。他信仰天主教，在大學時就常去台北監獄、新店軍人監獄替受刑人服務，還成立了「博幼基金會」，替弱勢孩子們補習數學和英文。我常在廣播裡聽到李教授為弱勢孩子募款，心中常有許多感觸與感動。

　　李家同熱愛文學，他的文章帶有人道主義的色彩，因為多舉例而不說教，反而更容易被人接受。

　　我覺得孩子都該讀讀李教授寫的小故事，能從中得到許多人生啟發。

影音延伸閱讀

台灣名人堂：
李家同教授

《用點心學校》系列

作者：林哲璋
繪者：BO2
出版社：小天下

學習關鍵字
橋梁書、校園生活、想像力、友誼、美食

特色
最受兩岸三地小讀者歡迎的橋梁書，「好書大家讀」入選好書，文化部中小學生優良課外讀物，榮登誠品、博客來、金石堂暢銷榜。

孩子樂讀指數
★★★★☆

父母教育指數
★★★★

內容及重點

小小布丁人在「用點心學校」裡認識了許多有趣的同學：他的同學都是點心，有棉花糖弟弟、蛋煎小子和草莓糖葫蘆妹妹等。書中描述這些點心人的學校生活，充滿笑點與驚奇。

小熊媽的推薦理由

本書在兩岸三地都有許多鐵粉，世界性的版權也賣出不少，除了作者林哲璋本身寫作實力堅強外，繪者 BO2 也讓此書加分許多。我家兒子看這套書，總是愛說：「看這些故事總讓我一直流口水，因為『用點心學校』的學生看起來好好吃喔！」

最近老二小小熊剛看完第七集，收錄了六篇充滿新意的幽默爆笑故事：〈高人一等的巨無霸霜淇淋〉、〈甜筒女孩小不點〉、〈酸溜溜的新老師〉、〈酸成一團的水果班〉、〈搶人大戰〉、〈老師酸又酸，學生皮又皮〉。光看名稱，就知道故事充滿想像力。

我曾問過孩子，他們喜歡本書哪些片段？他們說，很喜歡關於打蛋器校長的任期快到了，他和調理棒女士都想坐上下一任校長的寶座，卻引發討論熱烈的「模仿」話題；還有點心「油」泳池裡的油越來越黑、越來越濁；充滿正義感的雞排男孩帶頭抗議，希望能為大家解決油質的問題。

印象最深的，是講北部粽和南部粽動不動就吵架，讓花生粽小子好煩惱。為解決兩邊的紛爭，「用點心學校」舉辦

一場龍舟賽,沒想到發生了撞船意外……這些故事都很貼近孩子的生活。

我家孩子看完本書,就問過我:「北部粽與南部粽到底有何不同?」在此簡單說明一下:

北部粽:把糯米與配料一起爆香、拌炒後包上粽葉蒸熟。口味較重、香味較濃。有時不須另加醬料也夠味。

南部粽:將生糯米填上已炒好餡料,再包上粽葉,整串放入滾水中煮。因為不經油炒所以熱量較低、口味清淡,食用前可淋上特製醬料。

本書充滿想像力,還有加入本土的飲食資訊,讓孩子在笑聲中完全融入點心人的世界,從中領會語文樂趣、美食知識與處世道理,真心愛上閱讀。

影音延伸閱讀

來看看中興國小戲劇演出版

台灣五年級小朋友自創偶劇表演,相當有趣

Level I

基本書單

高手書單

這套書不只故事有趣,連插圖也充滿爆笑趣味,大人看了也不禁噗哧一笑。

033

《小火龍上學記》系列

作者：哲也
繪者：水腦
出版社：親子天下

學習關鍵字
橋梁書、小火龍、幽默、親情

特色
榮獲小學生票選好書活動低年級組榜首、文化部中小學生優良課外讀物推介、教育部悅讀101小一新生推薦書、「好書大家讀」年度最佳讀物獎、誠品書店年度TOP暢銷書等。

孩子樂讀指數
★★★★☆

父母教育指數
★★★★★

內容及重點

小火龍有很脫線的爸爸媽媽，還有一個超級妙的妹妹，一家四口搞笑的生活紀錄。有小火龍在棒球隊的甘苦、便利商店的妙談、還跟一個超搞笑的小魔女團團轉！最後還有賽車大會、與妹妹去上學的天兵故事。

小熊媽的推薦理由

小火龍的繪者——水腦，多年前曾是我的同事。她是一個很有童心的美術工作者，記得以前工作累的時候，我最喜歡走去美術編輯部，欣賞她的工作電腦桌，因為那裡總是擺滿許多有趣的公仔，讓人會心一笑，不想離開。

這套書的成功，除了作者哲也天馬行空的情節令人噴飯外，繪者的可愛插畫，絕對有畫龍點睛的加分效果。

小火龍的魅力，除了小火龍很可愛外，他還有很天兵的家人。我最喜歡小火龍妹妹，在第一天去上學就迷路，發生許多跌股的妙事。小火龍媽媽也很天兵，常有驚人之語。

這套書我家男孩很喜歡，因為可以無厘頭又名正言順的大笑一番。有一次我忍不住一起看，也笑了，原來是看到草原盃大賽車，當小火龍全家聚精會神守在電視機前，卻發現火龍妹妹竟不見了！大賽車開始時，突然一輛健步如飛的牛車，插入了比賽的行列，而失蹤的火龍妹妹就在上頭……

本套書系列，除了故事情節緊湊外，爆笑的梗也多，難怪孩子們都很愛，因而榮登小學生票選好書活動低年級組榜首。

我家男孩子曾問過我：如果《小火龍》裡的人物遇到《用點心學校》裡的人物，不知會有怎樣有趣的互動？

這兩套書的主角設定都很成功，讓孩子印象深刻、各有鐵絲，也有不少重疊的粉絲，也難怪我家那些身為雙重鐵絲的男孩，會提出提出這樣的想法。也許兩套書的作者可以互相討論，用什麼方式合作一下……就像怪盜對上名偵探、超人對上美國隊長一樣！（只是出版社不同，美國隊長與超人分屬不同漫畫集團，不太可能互動吧？）

總之，沒看過小火龍故事的，請快快找來看一看，好跟上孩子們閱讀的話題吧！

小火龍和牠可愛的家人，上演著一齣又一齣有趣的生活故事，孩子看了都很開心呢！

Level I

基本書單

高手書單

影音延伸閱讀

小火龍創作者與繪者的有趣對談

張爸爸讀書會來講小火龍

《屁屁超人》系列

作者：林哲璋
繪者：BO2
出版社：親子天下

學習關鍵字
橋梁書、幽默小說、學校生活、友誼、超能力

特色
全台熱賣超過 100,000 冊，小學生閱讀首選的橋梁書佳作！

孩子樂讀指數
★★★★★

父母教育指數
★★★★☆

內容及重點

屁屁超人，人如其名，他從小就有神奇的天賦：會放神奇的屁！只要乘著那威力無窮的屁，他想飛到哪兒，能飛到哪兒。就這樣，他與同樣擁有超能力的神祕國小同學們，展開了奇妙又爆笑的校園生活。

小熊媽的推薦理由

老實說，我真不明白為何只要牽涉到「屁屁」的書，總是會受男孩歡迎！（這是一個事實）

前文推薦的「屁屁偵探」系列已讓許多男孩愛不釋手，這套「屁屁超人」系列也是大賣特賣！也許以後要出書，就加上這兩個字，票房毒藥就能變票房保證？（本書是不是也該加上「屁屁熊媽」，比較能推廣閱讀？呵！）

老實說，以前我對「屁屁超人」並無太大正向觀感，這與我剛毅木訥誠實正直的個性可能有關。以前的我比較道貌岸然，認為孩子小時候就應該多讀一些古典名著，如：《野性的呼喚》、《海蒂》（小天使）等。但是事與願違，我家男孩偏偏就是很喜歡什麼「屁屁超人」、「內褲超人」等與下半身有關的橋梁書，讓當年的我，好生挫折……所以便認真且仔細地研究一番：這故事到底有何過人之處？

屁屁超人、哈欠俠和好話金剛，三人都是「神祕國小」的學生；不過他們不是一般的小學生，而是擁有超能力的有趣人物，各有不同的特殊能力。

故事就在學校裡陸續展開：飛天馬桶出現了，還有偷笑

有時穿插跨頁大圖的插畫，
讓整個故事更有閱讀焦點。

客老師、充屁式救生艇、屁浮列車尖叫號……這些無厘頭的東西，造就了屁屁超人一連串的搞笑故事，的確又好笑又有趣。

有一集是《屁屁超人與直升機神犬》，我最喜歡其中的一段是：

「原本擔任神祕班導師的『騎驢老師』受不了屁屁超人的『超人屁』，請調到普通班。新來的『偷笑客老師』兼訓導主任，他會偷走全班的歡笑聲，裝進神祕的圍巾裡，讓神祕小學裡連校狗的表情都變得苦哈哈。屁屁超人和哈欠俠偷偷潛入偷笑客老師家，發現偷笑客老師的太太居然是發送歡笑的『發笑客』師母！」

老實說，光看這些人名，就讓小孩好奇心盡出，也難怪本書的銷售與學校借閱率，總是名列前茅。

有時候，閱讀本身就是一種樂趣，讓孩子得到放鬆與歡笑。所以家長也該轉個角度想想：能讓孩子開心的書，就是閱讀入門的好書。

影音延伸閱讀

潮州國小的廣播推薦

潮州國小的廣播推薦
《屁浮列車尖叫號》

一位可愛小女生的朗讀

《大偵探奈特》系列

作者：瑪格莉・沙爾瑪
繪者：馬克・西蒙
出版社：上誼文化

學習關鍵字
橋梁書、偵探小說、推理、解謎、幽默

特色
風靡美國、被拍成電視影集、暢銷四十年的偵探故事集。本系列是美國知名作家沙爾瑪與凱迪克金獎繪者馬克・西蒙合作的兒童偵探故事經典，是美國的必讀經典童書。

孩子樂讀指數
★★★★

父母教育指數
★★★★

內容及重點

奈特是個聰明的小偵探，他喜愛的風衣和偵探帽（這些都是學老前輩——福爾摩斯），則是他的註冊商標。

鄰居好友都知道，只要有東西不見了、遇到難解的謎團、謎樣的事件，去找奈特，他絕對能幫忙解決。

本書內容充滿冷調幽默，讓孩子享受閱讀的樂趣之餘，也能培養推理能力。

小熊媽的推薦理由

我家小熊哥五歲時開始讀這系列的書。他曾告訴我，很喜歡讀奈特，因為奈特講話的方式很好玩，故事中還有許多搞笑的角色。

奈特是一個有趣的男孩，他最喜歡吃熱呼呼的鬆餅，更喜歡推理，常常幫助別人。而他的鄰居好友們，如：總是忘東忘西的克勞德、蒐集怪東西的跟屁蟲奧利佛、古怪女孩蘿莎蒙，和可愛的安妮，常常會來敲他的門，請他協助破解許多奇奇怪怪的難題。不論案件有多棘手、多無厘頭，一向崇拜福爾摩斯的他，總會拍拍胸鋪、勇敢地回答：

「我，大偵探奈特，接了這個案子！」

本書可以訓練孩子的日常推理，並藉此從閱讀中解決日常生活中出現的謎團。即使是兒童，看此書也可以享受當大偵探的樂趣。

更重要的是，孩子最愛有趣的事物！這套書不像福爾摩斯的硬派偵探路線，而是以幽默的手法來寫日常小偵探的故

事，因此在美國成為暢銷排行的常勝軍。

順便一提，作者瑪格莉‧沙爾瑪（Marjorie Weinman Sharmat）小時候就曾夢想成為一名偵探。她所創作的《大偵探奈特》系列，現在已成為美國兒童讀物經典，也被改編為電視影集，並在洛杉磯國際兒童影視節中獲獎。奈特還被印在美國的早餐麥片盒上，也出現在紐約時報的填字遊戲中，陪伴孩子一起成長。

台灣孩子對日本的小偵探「柯南」（其實是高中生但變成小學生），比較耳熟能詳；不過在美國，孩子們則是認識「奈特」多過於柯南！我個人覺得兩個角色都各具特色，只要是喜歡推理的孩子，都該讀一讀。

影音延伸閱讀

聽看看原文的朗讀帶：
Nate the Great and the
Lost List

2008 年動畫版宣傳片

Level
I

基本書單

高手書單

跟著大偵探奈特一起辦案，除了推理解謎，也能從中看到孩子對事物好奇與想像的角度。

《怪傑佐羅力》系列

圖文：原裕
出版社：親子天下

（學習關鍵字）
橋梁書、類漫畫、幽
默、冒險

（特色）
日本熱賣近 30 年，狂
銷 3,300 萬本以上的經
典童書。佐羅力打敗電
視卡通、網路動畫，征
服許多不愛閱讀的小朋
友！

（孩子樂讀指數）
★★★★★

（父母教育指數）
★★★☆

內容及重點

佐羅力，這隻充滿幽默、決心和過人勇氣的狐狸，是日本孩子最仰慕的英雄！他與兩個野豬朋友，一起展開許多冒險旅程。

小熊媽的推薦理由

這套書是我家老二小小熊的最愛，從低年級到高年級，每次拿到新書，他便迫不及待的猛 K 加上傻笑。

更妙的是，老大小熊哥即使升上國中，也很愛看這套（我稱之為低幼）漫畫。我想，喜愛幽默的作品是不分年齡的吧！對男孩尤其如此。

佐羅力是一隻調皮的狐狸，他立志成為「惡作劇之王」（真是奇怪的志願，但孩子就是買單！），想讓在天堂的媽媽以他為榮。為達到目標，他踏上了修練的旅程，途中還遇到兩隻山豬：伊豬豬、魯豬豬，最後變成他忠實的徒弟。

佐羅力到處旅行，也喜歡打抱不平。他常有驚人的發明，每次主導的惡作劇，最後都以失敗收場，卻又陰錯陽差的解決了別人的難題，變成大家都很感謝的正義之士！每次都歪打正著，還真是一隻幸運的狐狸。而這些過程中穿插出現的搞笑情節，果然讓孩子愛不釋手。

我很喜歡作者原裕說的一句話：

「不論遇到什麼困難，佐羅力都絕對不會放棄。我認為懂得運用智慧、度過難關，這種不放棄的精神，是長大進入社會以後最重要的事！」

其實，一開始我對佐羅力是不太欣賞的，因為用嚴肅的

教育觀點來看，這套漫畫並不像以往的經典兒童文學，反而像周星馳電影一樣，很無厘頭的感覺，所以不太理解兒子與全校孩子為何會瘋狂愛著此套書，讓圖書館內的佐羅力總是被搶借一空！

但當我很仔細地看過幾本後，開始欣賞作者天馬行空的創意，尤其是他很喜歡在書背與書封裡做文章，讓孩子找線索、玩遊戲。

作者原裕很喜歡在書中與孩子找機會互動、對話；這種難得的親和力，應該是小讀者這麼愛佐羅力的一大原因吧！

本書圖文並重，除了能讓孩子提升閱讀能力外，還能激發孩子愛上閱讀的心情。有時，家長真的不用管那麼多「寓教於樂」的想法，看到佐羅力能讓孩子這麼愛書，一切就都值得了。

影音延伸閱讀

一起欣賞日語卡通片頭曲＆影片（英文字幕）

片尾曲還有英文字幕，喜歡佐羅力的孩子會喜歡

日本有相關主題樂園，雖是日文，也可開開眼界

《拐杖狗》、《紋山》

作者：李如青、嚴淑女
出版社：聯經、小天下

學習關鍵字
文學繪本、金鼎獎得主
作品

特色
用寫實的手法記錄人生
的深刻故事，讓人感動
又低回再三！

孩子樂讀指數
★★★★☆

父母教育指數
★★★★★

內容及重點

　　《拐杖狗》說的是找老主人的忠犬流浪記；《紋山》則記錄了中部橫貫公路開發的血淚史。畫風栩栩如生，是值得收藏的名著！

小熊媽的推薦理由

　　李如青先生，是我最佩服的一位台灣繪本作家，主要的原因除了他的畫風十分的洗鍊外，他所寫的故事，也隱含了許多文學性與動人的情感。

　　很多繪本，都是以搞笑、幽默吸引孩子的目光，但是內容就會流於淺薄。李如青的故事讓你看完以後，心中除了有滿滿的感動，甚至還有一些些的遺憾 —— 因為故事未必是圓滿大結局！反而充滿一些生命的無奈與掙扎。

　　例如《拐杖狗》一書，描述的是主人中風送醫、緊咬著主人拐杖的狗，流浪走遍全台灣、尋找主人的悲傷故事。在這動人的故事中，孩子還可以看到台灣許多鄉鎮的美麗風景！更神奇的是：本書中沒有一個文字，作者強大的繪畫張力，讓你覺得：多一個字，都是多餘！

　　我個人十分推薦的，還有《紋山》這本書。這個故事講的是榮民開墾台灣中部橫貫公路的血淚；由於我在大學時，曾經是中部橫貫公路（簡稱中橫）健行隊的領隊，中橫對我而言，不僅是年輕的回憶，更是旅居美國時，最想念的家鄉風景！每當遇到艱苦困難時，心中自然浮現的，就是中橫壯麗的山景！

跟著拐杖狗串街走巷尋找主人的同時,也看到了台灣小鎮風情。

中橫的開拓,只能靠炸藥、徒手以十字鎬開鑿,充滿危險,也因此讓許多從戰場退休下來的老兵喪生此處,這些故事如果沒有被畫成繪本,孩子們應該不會知道,連大人們也漸漸的遺忘了!可是作者卻願意將這個冷僻的題材,把它換成一幅幅美麗如史詩般的繪本!我個人認為:光是這一本,就可以奠定他「台灣繪本之父」的歷史地位!

其他幾本書如《那魯》、《旗魚王》,也各有動人的特色,讓孩子在閱讀中可以學到許多知識與感動。因此,鄭重推薦家長一定要讓孩子讀讀李如青的繪本!

影音延伸閱讀

拐杖狗……
一本沒有文字的繪本

紋山 2018

李如青老師的繪畫,從陡峭山壁到人物動作,充滿張力。

《達克比辦案》系列

作者：胡妙芬
繪者：彭永成
出版社：親子天下

學習關鍵字
科普漫畫、解謎、鴨嘴
獸、動物警察

特色
用鴨嘴獸警察的角度，
以及漫畫的手法，來揭
發動物世界不可告人的
祕密。

孩子樂讀指數
★★★★★

父母教育指數
★★★★☆

內容及重點

第一集找出動物界的仿冒大王，第二集發現動物的另類
育兒行為，第三集介紹動物世界的射擊高手，第四集則是尋
找用聲音幫助捕食的動物。達克比動物警察，總是解開自然
界許多有趣的謎團。

小熊媽的推薦理由

這本書很好笑，裡面有許多被當作罪犯的動物，其實是
被冤枉的。

在主角動物——警察達克比辦案的過程中，發現每個故
事後面都有隱情。孩子可以在主角辦案的過程中，了解許多
動物的小祕密。

讓我家孩子印象最深刻的幾段辦案故事有：

1. 假魚醫生：魚醫生，許多人都聽過，但這裡談的是假
的魚醫生！牠們趁著幫大沙魚治病的時候，偷咬大沙魚的肉
吃！原來假魚醫生偽裝成真魚醫生，這是牠們另類的求生策
略，不是變態行為。

2. 幼兒黑心食物：有人報案，說有人餵幼兒吃黑心食品
——大便和死屍，原來被告是糞金龜。因為對糞金龜來說，
各種動物的糞便，其實都是真正的美食哪！

3. 虎毒不食子：吳郭魚媽媽竟吃掉自己生的孩子，可怕
的行為遭人檢舉，但動物警察達克比發現：原來這是吳郭魚
特殊的「口孵」行為，把魚卵含在口中，直到孵化為止，並
不是真的吃了自己的子女。

本書成功的地方，是用幽默漫畫＋趣味故事，開啟孩子喜愛自然科學之門。

現在的科普漫畫，大多是韓國翻譯書，如《科學實驗王》，而這一套《達克比辦案》系列可是台灣自製的漫畫，當然要支持一下！我家老大老二都很喜歡，推薦給更多愛科普漫畫的孩子。

影音延伸閱讀

與作家有約活動影像紀錄

先解說達克比的偵探裝備，再以漫畫方式描述辦案過程，加上辦案心得筆記，讓整本書既有趣味又有深度。

《文具精靈國》

作者：郭恆祺
繪者：謝金芳、妮蒂亞
出版社：水滴文化

學習關鍵字
橋梁書、幽默、成語、
校園生活

特色
寓教於樂的橋梁書，增
進中低年級孩子的閱讀
能力，由文具的世界中
讓孩子體會有趣的校園
生活。

孩子樂讀指數
★★★★

父母教育指數
★★★★

內容及重點

　　作者運用巧思，把孩子每天都會接觸到的文具用品，化身為調皮搗蛋的文具精靈。

　　書中描述許多上學趣事，有滿腹妙點子的書包校長、美麗的字典老師、帥氣的鉛筆盒老師，還有一群頑皮又善良的文具精靈，大家共同展開一場熱鬧有趣的新學期大作戰。

小熊媽的推薦理由

　　還沒說明本書之前，先來看看作者是怎麼說故事的：

　　又到了文具精靈最害怕的健康檢查日！橡皮擦妹妹的「頭皮屑」越來越多，修正液同學著涼所以「鼻塞」了，修正帶同學體育課「扭傷」捲成一球，不鏽鋼剪刀小子「關節」卡卡……，所有疑難雜症，有請放大鏡醫生來看詳細、說分明嘍！

　　還有這一段：

　　只會轉圈圈的害羞新生圓規妹妹，自願報名參加「舞林盟主挑戰賽」，要跟舞藝高強的長尾夾妹妹來場 PK！究竟是長尾夾妹妹的「女神夾夾舞」技高一籌，還是圓規妹妹的「同心圓」芭蕾舞更受青睞呢？

　　是不是很有想像力又充滿幽默感？誰想過文具也要健康檢查？而且還有很多我們都明白的毛病。作者還讓圓規參加跳舞比賽，果然很適合！

　　本書是描寫在「文具什麼東東村」裡，有一所「創意魔力小學」，文具精靈們都會來到創意魔力小學學習，讓自己

成為法力高強的好文具！（至於文具為什麼需要魔法？我也很想知道……）

創意魔力小學裡有「筆一筆」班、「愛整潔」班、「分得開」班、「輕飄飄」班、「在一起」班、還有「守規矩」班，各班成員都各具特色，十分有趣。

本書作者郭恆祺有很強的搞笑功力，加上高超絕倫的說故事技巧，打造出熱鬧滾滾、鮮事不斷的文具精靈國，加上插畫家謝金芳、妮蒂亞描繪出生動活潑的精彩插圖，賦予文具們鮮活的新生命，十分值得一讀。

老實說，我家老二把這本書讀了不下十遍！本書還附有故事 CD，晚上睡覺前可以給孩子聆聽，不得不說出版社真的很用心啊！

影音延伸閱讀

水滴文化製作的
可愛介紹影片

Level
I

基本書單

高手書單

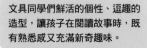

文具同學們鮮活的個性、逗趣的
造型，讓孩子在閱讀故事時，既
有熟悉感又充滿新奇趣味。

《林海音奶奶 80 個伊索寓言》

作者：林海音／編著
繪者：貝果
出版社：國語日報

學習關鍵字
伊索寓言、做人處事、
人性、智慧小故事、林
海音

特色
古今中外孩子都該讀的
一本書：伊索寓言。本
書由台灣文壇知名的文
人林海音編寫，值得一
讀。

孩子樂讀指數
★★★★

父母教育指數
★★★★★

內容及重點

伊索寓言是兩千年來人類最珍貴的智慧寶庫，其中最讓大家耳熟能詳的故事包括〈烏鴉喝水〉、〈龜兔賽跑〉、〈放羊的孩子〉、〈北風和太陽〉、〈父子騎驢〉、〈賣牛奶的姑娘〉等，幾乎成了世界共通的語言與常識。孩子從小就應該好好讀一遍此書。

小熊媽的推薦理由

所謂「寓言」，就是用隱喻的方法敘述故事，這些故事多半具有啟發人性、省思錯誤的意義；「伊索寓言」是其中最有名的著作。

相傳本書是幾千年前，希臘有位名叫伊索的人，他是個有肢體障礙的奴隸，但是很會講故事。他為當時的國王講了許多有趣的故事，其中有很多是關於動物的，故事極富教育意義，也因此流傳至今。

「伊索寓言」十分值得孩子細讀，我特別推薦這本由林海音編選的版本。林海音本人在序中寫出此書的重要性：

「伊索寓言」有永恆的價值，對每一代的人都有益。希望家長和老師，能把這本書介紹給自己的孩子，讓孩子們都能得益。

特地介紹這本書，也是希望家長與孩子能認識林海音。林海音，是一位獨樹一格的作家，更是一位功勞卓著的編輯與出版者。鍾肇政的作品《魯冰花》便是由她挑選、第一個被連載在報紙上的台灣作家長篇小說。

之後在高年級的書單中，也有選入林海音的《城南舊事》一書，到時還會對她有更多介紹。

低年級的孩子，一定要讀讀這本《伊索寓言》，藉由這些動物的故事，知道許多人性的黑暗面與光明面。

本書也十分適合親子共讀，不論是早上晨讀或睡前共讀，都可以藉由一個個小故事，與孩子分析人性的弱點，如：〈放羊的孩子〉教孩子不要輕易說謊、〈北風和太陽〉讓孩子知道溫和也可以是強有力的力量、〈父子騎驢〉教孩子不要輕易人云亦云、〈龜兔賽跑〉則告訴孩子驕傲是成功最大的敵人……

《伊索寓言》也是美國小學生的必讀書，建議英文好的孩子可以找英文版來看看。

影音延伸閱讀

桃園市林森國小
推薦影片

【解放雙眼 兒童聽書】
伊索寓言

Level
I

基本書單

高手書單

清新、溫暖的插畫風格，能讓孩子的心情沉澱下來，優游在一個一個寓言故事中。

《我家有個烏龜園》
《我家有個花果菜園》
《我家有個遊樂園》

圖文：童嘉
出版社：親子天下

學習關鍵字
橋梁書、自然觀察、生命教育、養寵物、種菜

特色
作者童嘉用質樸的圖畫來描繪兒時養烏龜、種菜的快樂生活體驗。

孩子樂讀指數
★★★★

父母教育指數
★★★★

內容及重點

這三本書，分別講小女孩與家人養烏龜、種蔬菜水果、自製大自然玩具的趣味故事。

小熊媽的推薦理由

老實說，這三本書讓人十分有親切感，尤其是對小時候養過烏龜、到美國也種過花與菜的我而言，頗有「真希望這些書是我畫出來的！」感覺。

作者童嘉的畫風，不屬細膩美型派，而是畫中有一種童真的趣味。在《我家有個花果菜園》中，描述一個小女孩，全家搬進一間有大庭院的老式平房（讓住水泥叢林的現代人真是超羨慕），由爸爸帶領一家人合力除草、整地、播種，大家一起種了玉米、南瓜、枸杞、絲瓜、葫蘆、金針花……甚至一人擁有一棵芭樂樹！

當大家都很期待自己的芭樂能夠收成時，而小女孩卻常常想：為什麼玉米老是長滿蟲子？為什麼木瓜樹和南瓜藤結不出果實？

這是一本讓大人小孩都回味無窮的種菜回憶錄。記得我在美國鄉村生活時，也用部落格記錄了許多種菜的故事，到現在還很難忘。比如說：我曾種過一種完熟番茄，大小比大人的拳頭還大，而且是亮橘色的；它比市面上賣的紅番茄，甜度高出好多倍！

我家小熊們則是喜歡《我家有個烏龜園》，書中描述同一個小女孩，家裡養了一隻烏龜當寵物。原來這隻烏龜在爸爸的實驗室裡到處闖禍，才被抓回家養。後來，家裡的烏龜越來越多，小朋友因而能親眼目睹烏龜的「家居生活」。

這些聰明的小烏龜，可不是省油燈，牠們會暗示小主人挖蚯蚓給牠吃，而且竟然喜歡吃貢丸！書裡的烏龜還會表演疊羅漢，在冬天疊在一塊兒曬太陽，超有畫面！

另外還有烏龜求婚記、烏龜生寶寶、烏龜冬眠等栩栩如生的紀錄，都讓孩子讀得津津有味。

我個人則是比較欣賞《我家有個遊樂園》這本。在以前物質缺乏的年代，小孩沒有許多玩具，反而能利用自然資源玩得更開心。如：拿酢漿草玩「丁勾勾」比賽（這我小時候常玩，可惜現代孩子都不太會玩了）、丟鬼針草來個黏衣服大戰，或和鄰居一起玩躲貓貓、設計尋寶圖、做筷子槍、自製彈弓……

其實，雖然沒錢買玩具，我們這一輩的童年卻充滿無限的歡樂，反而是擁有無數玩具的現代孩子，喪失了自製玩具、體驗自然的許多樂趣。

也許看看本書，父母也能帶著孩子們一起到戶外重新體驗一下我們小時候的野趣生活。

影音延伸閱讀

網友自製
《我家有個烏龜園》
朗讀紀錄

來看看文昌國小
小朋友分享
《我家有個遊樂園》

帶點拙趣的畫風，讓爸媽回味起「記得當時年紀小」的童年記憶。

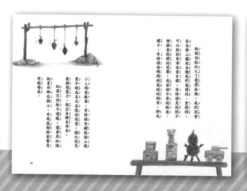

《最美的環境教育小百科》

作者：愛曼汀・湯瑪士
出版社：小樹文化

學習關鍵字
環境保護、愛護地球、
森林生態、海洋生態

特色
用大型繪本來介紹地球
上具特色的森林與海洋
生態，並教育孩子環境
保護的意義。法國環境
保護與人道組織「威力
雅基金會」「青少年環
境議題」獲獎書籍、法
國海洋保護組織「海洋
星球」推薦書籍、法國
環境保護組織「歐洲衝
浪者基金會」推薦書
籍。

孩子樂讀指數
★★★★

父母教育指數
★★★★★

內容及重點

　　森林篇，可讓孩子認識超過 100 種陸生動物、十大雨林、森林危機與 10 個保護陸地生態小方法。探索全球十大環境保護區，從看見森林裡的動物開始！

　　海洋篇，可讓孩子認識超過 100 種海洋生物、十大海洋危機與 10 個保護海洋小方法，探索全球十大海域，一起認識大自然之美！

小熊媽的推薦理由

　　多年來，我一直在小學擔任晨光故事志工，主題永遠不變，就是環保議題與減塑救地球！

　　很高興 2020 年小樹文化出版了這兩本巨型大繪本！內容十分豐富，打開來看到的是：

　　美國紅木國家公園、南美洲亞馬遜雨林、非洲剛果盆地、歐洲比亞沃維耶扎森林、中國的九寨溝、印尼的蘇門答臘雨林等美麗多元的森林生態。

最美的藝術插畫：見樹又見林。孩子跟著上山下海入叢林，總是能找到各種小驚喜呢！

問題動動腦：引導孩子深度思考、提出自己的想法與建議。

統整知識的廣度＆深度：從世界地圖分布位置到單一特殊海洋或森林生態，鉅細靡遺。

Level I

基本書單 高手書單

　　我與孩子很喜歡細細欣賞本書的每一個畫面，同時認識新的物種名稱：在紅木國家公園中，可以看到紋背啄木鳥、臭鼬、浣熊鼠、截尾貓、美洲黑熊與羅斯福麋鹿……

　　在剛果盆地裡，有大穿山甲、非洲灰鸚鵡、斑哥羚羊、非洲森林象與大猩猩、白冠蒼鷺等。

　　而海洋方面，更是絢麗無比，書中畫了：加州巨大海藻林、里巴斯共和國、科隆群島、歐洲最大海草床、北極、蘇達班紅樹林、馬里亞納海溝、大堡礁，以及顯微鏡下的海洋等特殊的海洋地區與生態。

　　書裡還有各種魚類的名稱，兒子學到了：雨傘旗魚、石頭公等；在北極可以看到北極熊、獨角鯨、格陵蘭海豹，以及虎鯨、座頭鯨等。

　　在〈顯微鏡下的海洋〉中，可以看到好多不同的生物、浮游植物、磷蝦等，但是也看到人類製造的無數塑膠垃圾！

　　書中除了介紹各大海域的生態知識外，更重要的是傳達保育的觀念。讓美麗的畫面感動孩子們、使他們能為保護海洋盡一份心力！

影音延伸閱讀

《最美的海洋》
介紹影片

小朋友介紹系列書

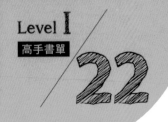

22 《海盜船》及工藤紀子作品

圖文：工藤紀子
出版社：小魯文化

學習關鍵字
橋梁書、海盜、寶物、友情

特色
日本超人氣繪本作家的橋梁書，不可不讀！

孩子樂讀指數
★★★★★

父母教育指數
★★★★☆

內容及重點

小熊與蜜蜂開了餐廳，重要的廚具卻被海盜搶走了！為追回廚具，他們反而解救海盜，交到了最好的朋友……

小熊媽的推薦理由

現在台灣的孩子，似乎沒人不知道工藤紀子。正確來說，她畫的《小雞逛超市》、《小雞逛遊樂園》的小雞系列書，與《野貓軍團烤麵包》、《野貓軍團開火車》、《野貓軍團壽司店》等超暢銷繪本，幾乎成為台灣小小孩的必讀書。

不過，沒想到她也畫橋梁書！這一本，就很有趣。我家男孩都很愛看。

主角加利達（熊）和奇羅（蜜蜂）在海邊開了一家餐廳（這種奇異的主角組合，果然很工藤紀子）。某天夜裡，突然有海盜光臨。海盜們吃飽喝足後，帶走了寶物——他們開店的廚具！想討回寶物的加利達和奇羅，連忙追上海盜船，海盜們卻說：「不可以歸還廚具，因為〈海盜誓約〉的第一條說，搶來的東西，都不可以還回去！」

結果，兩個主角成為海盜的廚師和裁縫。

後來，照顧加利達和奇羅的海盜傑克被捉了。當海盜們都驚慌失措的時候，加利達和奇羅想出了好辦法。在營救傑克的過程中，他們赫然發現，原來最重要的一條海盜誓約是：對於重要的朋友，無論什麼願望都要幫他們實現！

也因為這一條，主角們終於拿回了屬於他們的寶物。這是一個很溫馨的故事。

本書作者工藤紀子，一九七〇年生於日本神奈川縣，女子美術大學短期大學部畢業之後，開始從事插畫與繪本創作的工作。她作品裡的人物都十分可愛討喜，是日本很活躍的繪本創作家。我最喜歡她常畫有「香腸嘴」的人物，如小雞、野貓、海盜們，這應該是她的招牌特色吧！超好認也超有喜感。

如果您家孩子也愛小雞、野貓系列的繪本，建議年齡大一點後就可以看這本橋梁書，熟悉度與好感度超高，會讓孩子更快愛上文字閱讀！

作者的漫畫創作，
值得一看

作者宣傳影片
（看看工藤紀子本人吧）

野貓軍團開火車的
日文動畫

Level

I

基本書單

高手書單

《原來如此！科學故事集》晨讀系列

作者：渡邊利江、入澤宣幸、甲斐望等

繪者：吉村亞希子等

出版社：親子天下

學習關鍵字
科普書、晨讀十分鐘

特色
以短短的有趣故事，把科學的背後原理清楚描述。是晨讀書系中，最被接受與廣泛應用的一套好書。

孩子樂讀指數
★★★★☆

父母教育指數
★★★★★

內容及重點

利用短篇科學故事，讓孩子在晨讀時更理解科學有趣的地方。

小熊媽的推薦理由

腦科學家洪蘭老師曾說：

「從實驗得知，晨間閱讀是最有效的；而閱讀是習慣，不是本能。從每天晨讀十分鐘，開始一天的學習之旅，將會改變孩子的一生！」

根據天下雜誌的報導：從美國、日本到韓國，「晨讀十分鐘」運動已被證明是養成中小學生主動、獨立閱讀習慣最有效的辦法之一。

南美英博士，是韓國閱讀教育開發院院長，他所寫的《晨讀十分鐘》一書，提出成功實施晨讀的策略，以及在韓國學校實施的經驗分享。書中描繪韓國的教育，和台灣處境非常類似：孩子下課補習，占用太多時間，學生在校內重複無意義的學習，很難專注學習！

以前我去韓國拜訪遠嫁首爾的研究所老友P，她就告訴我，在首爾，孩子補習六科還算少的，要補十科以上才算正常！光作文就有兩科要補：論說文與一般記敘文！

補的越多，真的越有用嗎？南美英博士在《晨讀十分鐘》一書指出：對大多數的孩子來說，學校不能成為學習的地方，補習班也不能。因為學校和補習班以學習能力強的孩子為中心；能力較差的孩子，就常被忽視、也常有低人一等

的感覺。

　　學而不思則罔，只有透過每天早上十分鐘的閱讀，才能讓孩子養成固定閱讀、自我思考的學習態度，這才是教育應該努力的方向。

　　我家男孩都很愛玩科學，這與他們有一個學科學的爸爸有關。不過小時候，不太愛讀書的老二也不愛讀科普書，而這套科學故事集，是引導他走入科普書閱讀的大功臣！因為本套書圖文並茂、故事淺顯易懂，他一連看了低、中、高年級版本，還欲罷不能。

　　這套書到現在依舊珍藏在我家書房。除了老二不時常翻看外，本套書也留給老三迷你熊，當作他走入科普書世界的敲門磚，鄭重推薦給大家。

　　請務必讓孩子看看此套書，每天從十分鐘看個小故事開始。這是一個小小的起步，最重要的觀念是：科學教育，應從小做起。

影音延伸閱讀

關於晨讀十分鐘的影片

晨讀十分鐘的做法

Level I

基本書單

高手書單

057

《小翻頁大發現》系列

作者：羅伯．羅立．瓊斯等

繪者：貝利．亞伯特等

出版社：水滴文化

學習關鍵字
翻翻書、建築、機械、身體、環遊世界

特色
英國知名的科普書，可以互動式翻頁的設計，讓孩子體會到閱讀的驚喜與樂趣。

孩子樂讀指數
★★★★☆

父母教育指數
★★★★★

內容及重點

本系列有許多主題，讓孩子在互動翻頁中，學到天文地理、人體宇宙、科學發明、建築城市、航海工具等知識。

小熊媽的推薦理由

See inside 系列，是來自英國知名的 Usborne 出版社。該社是英國最大最成功的童書獨立出版社，2014 年榮獲英國獨立出版商協會頒發「年度獨立出版獎」及「童書獨立出版獎」兩大獎的肯定。

我有這套書，是因為有 Play group 的媽媽發起，大家一起團購原文版的。買回家後，連念幼兒園的老三迷你熊董都很愛，沒事就會翻一翻，果真見識到 Usborne 受眾家媽媽青睞的鐵證！

其實，Usborne 推出了兩個系列版本：Look inside 與 See inside 系列，Look inside 比較淺顯易懂，圖大、文字比較少；See inside 系列則是比較深入，但文字也比較難懂些。

我覺得 See inside 很適合小學生，尤其是中文版，可提升孩子的閱讀能力。

我推薦其中五個主題（後續還有其他主題）：《我的雄偉建築大發現》、《我的機械原理大發現》、《我的身體奧祕大發現》、《我的環遊世界大發現》、《我的經典發明大發現》。

內容涵蓋天文地理、人體、宇宙、科學發明、建築城市⋯⋯甚至台北 101 也出現在《我的雄偉建築大發現》裡，是一本零時差的百科。

以前我曾買過大英百科全書（大部頭！），不過網路普及後，這種紙本的百科全書，似乎走入歷史。See inside 系列不像傳統的紙本書，只是文字與插圖，而是精心設計多層次立體翻頁（真的可以翻很多層），讓孩子從中得到互動的樂趣。

這套全球中文版，是由國內專家、大學教授擔任審定。專有名詞、內容描述皆經過嚴謹校訂，很具參考價值。

立體書特別適合用來介紹建築，因為建築本身就是三度空間的事物。這套書當中的《我的雄偉建築大發現》，介紹全世界幾座重要的歷史建築，從金字塔、羅馬競技場、聖母院，到現代摩天大樓、古根漢美術館等等，十分精彩。

影音延伸閱讀

國外媽媽比較 Look inside 與 See inside 系列的不同。

《小翻頁大發現 —— 我的雄偉建築大發現》影片介紹

《小翻頁大發現 —— 我的身體奧祕大發現》影片介紹

Level
I

基本書單

高手書單

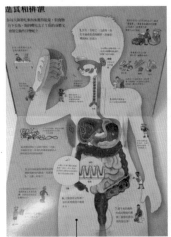

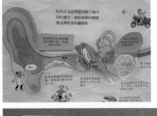

翻翻書能讓孩子享受動手發現的樂趣，還能看到事物的不同面貌：從外在到內部、從全觀到細節。

《奧弗斯藝術繪本》系列
（全套5冊）

作者：希碧勒・馮・奧
弗斯

出版社：小樹文化

學習關鍵字
歐洲瑰寶、經典藝術繪
本

特色
華德福、蒙特梭利推薦
幼兒啟蒙書、作者是與
《彼得兔》作者碧雅翠
絲・波特、英國兒童繪
本先驅凱特・格林威、
瑞典國寶級繪本作家艾
莎・貝斯寇並列的殿堂
級繪本作家。

孩子樂讀指數
★★★★★

父母教育指數
★★★★☆

內容及重點

作者用充滿靈性的畫風，帶領著孩子與風的孩子、雪的
孩子在山丘、田野及雪地裡奔跑、與根的孩子一起迎接春
天、跟著森林小公主一起探索美麗的森林、與蝴蝶的孩子在
廣大的草原飛舞！

小熊媽的推薦理由

這套書我一直收藏在床頭，是看了心中就很療癒的美麗
作品！

希碧勒・馮・奧弗斯，是畫家、也是繪本作家，童年時
光在東普魯士度過。她很早開始學習繪畫，受到畫家作家姑
姑瑪莉・馮・奧弗斯的啟發與支持。

24歲時，她有機會在呂貝克藝術學院深造，畢業後在
一所天主教學校擔任美術老師。20多歲的她就已出版許多
繪本，分別是《雪的孩子》(1905)、《兔子的孩子》
（1906）、《根的孩子》（1906），以及《森林小公主》
（1909）。但很不幸的是：35歲的她因肺病過世，算是英
年早逝。

奧弗斯的畫風精緻、簡約，她的邊框與植物花紋有很高
的藝術評價。同時，她也是19世紀新藝術運動中「德國青
年風格」（Jugenstil）書籍裝幀藝術最重要的代表人物。

奧弗斯與《彼得兔》作者碧雅翠絲・波特、英國兒童繪
本先驅凱特・格林威以及瑞典國寶級繪本作家艾莎・貝斯寇
齊名。但我比較喜愛奧弗斯的作品，細膩纖巧的構圖、筆觸

跟著這群大自然小寶寶學爬、學飛、學會度冬，一起迎接春天！

美麗的邊框與植物花紋，是奧弗斯創作最鮮明的特色。

Level I

基本書單

高手書單

中充滿著溫馨童趣 —— 透過一個個圓圓臉蛋、光著腳丫的可愛寶寶，在大自然中嬉戲、與昆蟲、微風共舞，捕捉了幻想與現實交錯的每一個瞬間，是自然風繪本的代表作品。

這五本書畫風很一致：裝飾性的邊框加上可愛小孩，除了療癒，更能體現華德福教育溫柔看待四季變化、融合和諧生命的理念。難怪是華德福、蒙特梭利推薦幼兒啟蒙書！

影音延伸閱讀

《根的孩子》內頁

奧弗斯畫作影片

《根的孩子》英文朗讀

《哇！恐龍跑出來了》系列

作者：Carlton Books
出版社：三采

學習關鍵字
3D 擴增實境、恐龍、
侏羅紀、互動書

特色
擴增實境（Augmented
Reality, AR） 的 應 用
書，將書中主角結合現
實世界和虛擬世界，加
上配備攝影機的行動裝
置、平板電腦，就能產
生互動式的 3D 動畫，
讓主題變得栩栩如生。

孩子樂讀指數
★★★★☆

父母教育指數
★★★★

內容及重點

　　利用手機或平板看互動書介紹多種恐龍，而且有些還是
立體的（可 3D 欣賞的就有四隻）。恐龍互動製作得十分逼真，
還可以與牠合照，讓孩子既驚訝又開懷。

小熊媽的推薦理由

　　本書很妙，它能讓已經滅絕的史前動物 —— 恐龍，重新
活生生的站在孩子面前，並且還會奔跑、聽聞牠們嘶吼咆哮
的聲音。更不可思議的是，孩子還能和恐龍合照！

　　我會買這本書，是電影《侏羅紀世界》上演時，應孩子
要求的。一開始我也半信半疑：怎麼會有這樣神奇的書？結
果實際操作後，孩子們都很喜歡。他們最喜歡與暴龍一起合
照，或是讓恐龍跟他們一起散步。男孩子就是這麼有趣，看
到恐龍踩過他們頭上，還超開心的！

　　做法很簡單，先到 www.apple.com/itunes 或 www.android
.com/apps 網站，下載免費的 iDinosaurAR app，安裝在手機
或平板上，然後配合書本，執行該軟體，依照指示操作，即
可開始體驗擴增實境動畫中的恐龍場景了。

　　此外，將鏡頭對準這些可以讓恐龍跑出來的跨頁，並讓
小孩也入鏡，就能與恐龍合照、一起散步了。

　　在此介紹一下擴增實境 AR（Augmented Reality），它是藉
由攝影機取得實體的影像位置資訊，經由運算後透過投影裝
置，結合虛擬元素後再投射於擴增實境中。

　　AR 的好處是：虛擬元素＋現實元素，可以增加我們對世

《恐龍跑出來了》
外文介紹影片

侏羅紀世界
擴增實境動畫

界的觀察角度與經驗，讓原本不可能同時存在的古物（如恐龍）與今人交會；難以達成的體驗，如：到太空、龍捲風內部探險……都變得有可能。

擴增實境，現在已廣泛應在生活中，最火紅的案例，就是由 Niantic、Pokémon 與任天堂共同打造的遊戲：Pokémon Go! 玩家可以利用手機查看身邊的神奇寶貝，再點擊捕捉它們；此一遊戲上市後便大大轟動全世界。在台灣也引起大批玩家的抓寶狂熱，還造成北投及熱門景點交通大打結的現象，其吸引力可見一斑。

在本書的應用裡，iDinosaurAR app 裡面有四隻恐龍，只要啟動應用程式，從手機或平板裡就能看到牠們栩栩如生的動作，例如低吼、跑步、飛翔等。如果孩子覺得不過癮，想要擁有更多恐龍，可以經由付費後多下載八隻恐龍，一次擁有超立體的陸海空恐龍樂園。這對於家有恐龍迷的孩子來說，是一大福音。

本系列有好幾本，除了恐龍以外，還可以看龍捲風、太陽與宇宙、原子、機器人，連湯瑪士小火車都有！互動書應是未來閱讀的新潮流吧！不想過時，快來一起與孩子共讀、體驗看看。

《什麼都行魔女商店》系列

圖文：安晝安子
出版：東雨文化

學習關鍵字
少女輕小說、魔女、裁縫師

特色
日本小學中低年級指定課外讀本、亞馬遜網路書店五顆星評價、日本狂銷 35 萬冊、榮獲誠品、Page One 書店童書暢銷排行榜第 1 名。

孩子樂讀指數
★★★★☆

父母教育指數
★★★★

內容及重點

女主角奈奈，偶然發現森林裡有間很神奇的商店：洋裝修改分店，店長是個身高、年齡都和奈奈相似的小絲；更神奇的是──小絲竟然是個魔女！還有一隻會說話的貓僕人可冬。接下來就是兩個女孩以及一隻貓咪，在魔法世界裡一連串的有趣經歷。

小熊媽的推薦理由

沒能生個女兒，是我人生很大的遺憾。老實說，男生愛看的書，真的與女生不同，所以一定要來性別平衡一下，介紹圖書館中女生最愛的幾本好書。本套書就是常勝軍。

這是一套風靡日本與台灣小女生的超夢幻讀本，深獲台日家長肯定，也長踞童書銷暢榜的 NO.1 小女生圖文書。

本書內容很對小女生的胃口，如：雪女王庫麗斯特地請主角魔女小絲，來幫忙製作「雪女王之王」的比賽禮服。面對這重責大任，小絲設計出讓人意想不到的神奇禮服！

還有，學校一年一度的才藝發表會即將到來，奈奈擔任女主角──灰姑娘。但一直活力充沛的奈奈卻顯得無精打采，原來，她只是同學的「替身」。此時魔女小絲出手幫忙，讓奈奈重新找回自信與活力。

友誼，是本書系的溫暖主軸與中心思想。而主題則包羅萬象，如：幸福的蒲公英、會魔法的貓僕人、如何做美味蛋包飯、占星魔女、結婚禮服等等，都是小女生會感興趣的話題。作者安晝安子不但會寫，也很會畫，她把少女漫畫帶進

兒童小說，可說是大成功，也因此本系列一口氣出了 20 多本，連在美國圖書館都有英語版，讓讀者愛不釋手。

安畫安子的魔力無窮，她推出的姊妹作《露露和菈菈》、《香草魔女》系列，也是台日美三地的超人氣作品。

記得我小時候偷看少女漫畫，被爸媽抓到可是痛罵一頓，現在這種新型態圖文書推出後，家長競相讓女兒們看，看越多鼓勵越多，讓人感嘆：現在的小女生實在太幸福了！

如果孩子看不過癮，記得務必幫孩子把安畫安子畫的姊妹作：《露露和菈菈》、《香草魔女》系列也都找來，讓孩子大飽眼福吧！

Level I

基本書單

高手書單

作者訪問（日文，但可親睹作者風采！）

台灣小女生介紹《露露和菈菈》系列

《等愛的天使》及《勵志文房》系列

作者：林千
出版社：文房

學習關鍵字
勵志少年小說、克服困境、同情心、追求幸福

特色
這個系列的小說，主角多半有悲慘的人生遭遇，但都願意克服障礙，努力追求幸福。

孩子樂讀指數
★★★★

父母教育指數
★★★★

內容及重點

唇顎裂的小女孩，遇到輕度聽障的小男孩，兩人有各自悲慘的遭遇。他們從一開始的封閉自我，到後來互相扶持的成長故事。

小熊媽的推薦理由

我參與志工服務的小學圖書館，有一個有趣的現象：男生流行看漫畫，女生則是愛看福地、文房出版社的悲情小說（正確名稱應該是勵志小說）。

這裡所謂的「悲情小說」，多半有些頗悲苦聳動的名字，如：《養女的願望》、《賣玉蘭花的小孩》、《拾荒兩兄弟》、《沒有爸爸的小孩》等等。

本書的主角張婷恩，是出生就有唇顎裂缺陷的女孩，原本母親想讓六歲的她去動手術，沒想到在動手術的前夕，母親和哥哥卻墜機身亡（故事主角總是福無雙至、禍不單行啊！），婷恩只好寄住到奶奶家裡。

更悲慘的是，奶奶不但不憐惜孤女，還惡言相向，迷信的相信是她剋死了媽媽與哥哥。外貌殘缺加上奶奶的惡意對待，讓婷恩徹底失去自信心。

轉機出現在婷恩二年級時，班上轉來一個男孩。這個男孩原本是個很厲害的天才鋼琴兒童，因為一次的意外，讓男孩聽力受損，因此放棄了鋼琴，也放棄了自己。兩個不幸的孩子，在彼此身上發現人性的溫暖……

基本上這一系列的書，都用悲情的題目，來當訴求，主

打讀者則是女孩，因為她們多半比較有同情心與愛心，所以對此書系樂於買單。姑且不論由大人來看，這些悲情似乎有太多巧合與偶然（如：現實生活中倒楣的事都發生在男女主角身上），不過很顯然地，這個訴求是成功的！因為在圖書館的借閱排行裡，本書系常常榜上有名，書也都被孩子們翻到破爛、甚至起了毛邊。

行銷的成功，也是書籍的成功。這套書籍讓孩子在閱讀中，擴大了對底層的、不幸人們的同情與關懷，更同時增加了字彙能力，所以我特別提出來推薦。它也許不是得獎作品，但卻是台灣本土童書的一種特色與驕傲。

影音延伸閱讀

相關影片：
走出唇顎裂陰影，
女孩舞出自信

羅慧夫醫師與台灣孩子
唇顎裂的故事

近似的勵志故事：
一個少了一隻手的男孩
如何繼續畫畫？

《漫畫版世界偉人傳記》套書

作者：吉田健二等／漫
畫，前島正裕
等／監修
出版社：野人文化

學習關鍵字
偉人傳記、發明家、科
學家、音樂家

特色
用漫畫介紹世界偉大人
物一生的故事。由日本
國立科學館、物質研究
所教授等監修，孩子易
讀易懂，接受度也高。

孩子樂讀指數
★★★★★

父母教育指數
★★★★★

內容及重點

這套書共有四本，介紹四位不同領域的偉人：愛迪生
（發明大王）、貝多芬（樂聖）、萊特兄弟（飛機發明人）、居禮
夫人（科學家），由偉人一生中，探討其成功的特質。

小熊媽的推薦理由

老實說，除了本土創作的漫畫，漫畫類書籍，本來我是
不打算推薦的，因為各種韓版漫畫（如尋寶記、實驗王……），
許多孩子不用鼓勵，也會狂讀。我必須說實話：圖像閱讀固
然方便又快速，對於孩子邁入中、長篇文學閱讀，其實並無
幫助，反而會讓孩子在漫畫世界，流連不前。

這套 2016 年出版的作品，有讓人耳目一新的地方：

首先，它排除了韓版漫畫搞笑＋誇大的畫面，改為真誠
深刻的人物歷史描寫。說真的，當我看完《貝多芬》這本
時，眼眶竟然濕濕的……深受感動！

還有，本套書有些巧思，能讓人重新思考「偉人為何成
功」這個議題，例如每本封底內頁，都有跨頁的「偉人留下
的名言」，我家老二（小六）很喜歡愛迪生，看完後就把愛
迪生說過的話，抄在自己的日記裡，像：

「真正的偉人，是即使有諸多擔憂也從不叫苦的人。」

「經歷 99 次失敗之後，只要成功一次，就值得了。」

我也把貝多芬說過的話，抄下來當作自己的座右銘：

「要避免過度思考自己的不幸，專心工作，是最好的方
法。」

「我的音樂，必須是能給人帶來幫助與啟發的音樂。」

　　本書除了漫畫，後半部還有許多基礎知識補充，十分具有教育意義，如貝多芬那本有介紹古典音樂的歷史（文藝復興、巴洛克時期、古典派、浪漫派、近代音樂的演進），還有對古典音樂種類的講解（如：什麼是歌劇、管弦樂團、協奏曲、室內樂），內容十分豐富。

　　以上補充也許低年級的孩子尚不太能理解，但是到了中、高年級，便可以溫故知新，所以我覺得，這套書是可以繼續流傳到高年級，甚至國中還能反覆閱讀的好書，值得收藏。

影音延伸閱讀

本套書介紹影片

郝廣才介紹愛迪生

貝多芬的故事
（動畫）

Level
I

基本書單

高手書單

偉人的人生故事以部分彩色和黑白漫畫呈現，前後還有「偉人的世界足跡地圖」、「偉人留下的名言」，兼具深度和廣度。

《神奇樹屋》系列及
《神奇樹屋小百科》系列

作者：瑪麗‧波‧奧斯本

繪者：吳健豐

出版社：小天下

學習關鍵字
奇幻兒童小說、冒險、勇氣、探索、兄妹情

特色
美國小學生必讀套書！世界各地總銷售已超過一億冊，在台灣銷售量突破 150 萬冊，是一套小學生幾乎都聽過的童書。

孩子樂讀指數
★★★★★

父母教育指數
★★★★★

內容及重點

本套書主角是一對兄妹：傑克與安妮。哥哥傑克理性冷靜，喜歡看書；妹妹安妮則喜愛幻想與冒險，又很有勇氣。

故事一開始，是描述兩個個性截然不同的兄妹，在森林裡發現了一個堆滿書的神奇樹屋，更神奇的是，這樹屋就像多啦A夢的時光機，能帶他們到許多不同的時空中旅行！

於是兄妹去過史前時代的恐龍谷、中古世紀的城堡、破解了木乃伊的祕密……簡單來說，這就是兒童版的穿越劇，但是很寓教於樂，因為每一次的冒險過程，都能讓孩子學到歷史或地理上的知識，難怪會成為全世界狂賣的童書。

本系列還有相關小百科，由作者的姊妹撰寫，十分適合當作補充教材。

小熊媽的推薦理由

2011 年起，我在師範大學開的「Intel 創新思考教育計畫」課程，有一堂介紹的是「神奇樹屋系列」，十分受歡迎，老師們反應熱烈。

小熊哥在美國讀小學時，這套書也是小一生的必讀指定讀物，且是當時小一的小熊哥愛上 Chapter book 的敲門磚。前幾本寫得很簡單，連忍者、秦始皇、大章魚都可以寫進去。小熊與同學很愛此套書，當地圖書館更是一口氣買七、

八套，鼓勵孩子們多多借回家閱讀。

　　附帶一提，日本出版的《神奇樹屋系列》，和別的國家很不一樣。日本出版社將原本的兩集合成一本，一次就可連看兩個故事，再搭配上日本漫畫式的插圖，可愛感十足。

　　我曾看過本書作者瑪麗・波・奧斯本自述的成長故事，十分精彩有趣。簡而言之，她從小跟著軍人爸爸到處遷移，所以很不習慣「安定」的日子，超喜歡「富有變化」的生活。小時候住過的地方多也就算了，長大後還跟著歐洲的青年樂團去亞洲 11 國遊歷。她曾在尼泊爾嚴重中毒，療養期間，還趁機在醫院裡把托爾金的《魔戒三部曲》好好讀了一遍，覺得主角 Frodo 的旅程，和她的東方冒險一樣，深深地影響了她。

　　她試過不少工作，如：櫥窗設計、醫事助理、旅遊顧問……嫁給音樂家兼演員的先生後，除了跟著他到處旅行演出，還當過餐廳侍女、吧檯調酒員、在療養院教戲劇課，後來則在兒童雜誌社當編輯。某日她突然心血來潮，寫了一個 11 歲南方女孩的自傳性故事，才真的找到自己的人生目標──童書寫作。

　　若以華人父母的觀點來看作者的工作經歷，可能會皺起眉頭，認為她有點不學無術、做事沒有定性吧！可是正因為她多采多姿的人生經歷，才創造出無限的可能，成為美國首屈一指的作家，創造出想像力豐富的「神奇樹屋」系列。

影音延伸閱讀

遠見・天下文化教育基金會與如果兒童劇團合作改編自《神奇樹屋－恐龍谷大冒險》的故事劇場短片

神奇樹屋作者專訪

31

《西遊記》
各種閱讀版本建議

作者：吳承恩
推薦版本出版社如下：
幼福、幼獅文化、小天下、三采、世一、國語日報、親子天下、聯經、台灣東方

學習關鍵字
中國古典文學、西遊記、奇幻、冒險

特色
中國古典小說，「四大名著」之一。作者是明朝的吳承恩。書中講述唐三藏師徒四人到西天取經的故事，表現了懲惡揚善的古老主題，同時也是中國早期的神魔小說。

孩子樂讀指數
★★★★★

父母教育指數
★★★★★

內容及重點

根據宋、元以來關於唐僧取經的故事和有關作品，加以擴充、組織和再創作而寫成。

故事描述唐代高僧三藏法師，帶著三個神奇的弟子：孫悟空、沙悟淨、豬八戒，一路前往西方取經的故事。

小熊媽的推薦理由

我家老二雖說是《三國演義》迷，其實在閱讀三國之前，是經過許多階段性的閱讀訓練的：先看了為數不少文字量漸漸增加的橋梁書，再接著看《西遊記》各版本與《神奇樹屋》全套系列，藉由一個個單元短篇故事累積，才能真正養成閱讀長篇故事的耐心與習慣。

接下來正式介紹階段性的《西遊記》讀本：（《西遊記》版本實在太多，以下是小熊們閱讀後印象較深刻的版本）

初階版 1 幼福《名著好好讀：西遊記【注音版】》

本套書的編排童趣十足，全本注音，插畫超逗趣，選錄了西遊記重要的幾個章節，但文字量小巧精簡。對於入門的

文字淺顯易懂，內頁插畫顏色鮮亮，很能吸引孩子目光。

黑白插畫屬
於漫畫風。

孩子來講，十分容易上手；價格也很親民，200
元有找！很適合低年級孩子當作中國古典文學入
門的書籍。

初階版2 幼獅文化「典藏文學」《西遊記》

　　這一本國小圖書館幾乎都有收藏，也是輕薄短小，由管
家琪所改寫。

　　插畫是黑白線畫，但很有漫畫風，可讓孩子入門古典文
學而不會害怕。

中階版1 三采《西遊記（上/下冊）》

　　本書的繪者蔡嘉驊，漫畫式的插畫風，十分清新討喜。
改編自吳承恩的原著，加上幽默的動感插畫，以及親切的語
感，讓孩子輕鬆融入西遊記的故事情節中。上下冊每本大約
有45000字，很細心的分成適當的章節，這樣分段閱讀，孩
子容易有成就感。附有注音，三年級以上可以自行閱讀。

圖文比例接近1：1、
漫畫風格插圖、文字量
少，讓孩子輕鬆從繪本
慢慢過渡到橋梁書！

Leve
I

基本書單

高手書單

圖文比例接近1：2的橋梁書，讓孩子慢慢習慣練習看長文的最佳選擇！

唐唐畫的孫悟空靈動中帶著調皮的神韻，景色鋪陳運用現代的媒材、用色新穎，卻又有古典畫的氛圍。

影音延伸閱讀

小天下總編說故事

中階版 2 小天下《少年讀西遊記（全套3冊）》

　　這套書一看插畫，我就很喜歡，因為我很喜歡插畫繪者唐唐的風格。

　　這套書重新詮釋超過 20 個西遊記的角色，原汁原味的改寫故事，也從故事延伸出〈西遊記情報〉！一套有 3 本，第一集講的是齊天大聖孫悟空大鬧天庭、地府和龍宮的故事，第二集是《從風到火的考驗》講三藏、悟淨和八戒師徒們的衝突。第三集講的是降妖伏魔取真經，前往西天遇到的各種故事。

　　本套書的難度較幼福版又增加了一些，但是配上圖畫，感覺活潑許多，讀起來就不會那麼困難了！

中階版 3 世一「傳世經典文學」系列《西遊記》

　　這一本應該是小小熊最愛不釋手的大開本了，許多大賣場也有賣，畫風細膩且古典雅致，價格更是親民！（超大精裝

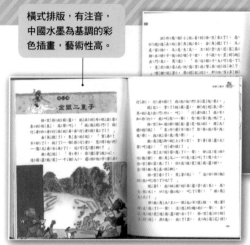

横式排版，有注音，中國水墨為基調的彩色插畫，藝術性高。

全彩開本 300 元有找，有點沒天良的價格……在台灣，做出版真沒賺頭）

我個人給予高度評價，必收藏！

歡樂改編版 **1** 國語日報《幽默西遊記》

西遊記的改寫版本很多。說真的，改寫版是吸引孩子看正式版的好菜！

我家小小熊很喜愛這本由周銳與曹俊彥合作的《幽默西遊記》，講的是孫悟空與豬八戒的下一代有趣的故事。周銳其實是上海知名的作家，曹俊彥則是台灣本土兒童文學界的長青樹。本書在香港大受好評，在台灣也佳評不斷。

本書最成功之處在，曹俊彥老師的插畫發揮了畫龍點睛的極大功效。又典雅又可愛的插畫，連我也看得愛不釋手。

影音延伸閱讀

動畫版西遊記第一集

悟空與悟能的兒子孫小聖和豬小能聯手搗蛋，讓我家老二一看再看，永不厭煩。

這種綑綁好像是西遊記必備的經典場面……呵呵，每次都少一個齊天大聖。

書中的插畫比較現代，是孩子喜愛的類型。

歡樂改編版 2 親子天下《奇想西遊記》

　　親子天下出的「奇想系列」，打頭陣的是《奇想三國》，接著是《奇想西遊記》。（下一次期待《奇想水滸》了）

　　這一套比《奇想三國》系列更集中火力，因為四本書的作者，全都是功力超高的王文華老師——一出江湖，洛陽紙貴！我家老二常邊讀邊噴飯叫好，家中書櫃的鎮櫃之寶，這套絕不能少。

高階版 1 聯經《西遊記（經典名著彩繪版）》

　　聯經出版過好幾種西遊記，這本是經典名著彩繪版，繪者朱延齡，古典藝術風格的絢麗彩色插畫十分有戲劇張力讓

故事讀起來特別的生動。

　　本書搭配了 120 幅精緻的藝術性插畫，表達出作者吳承恩當年寫西遊記的初心：從追尋、歷難、到成功的精彩故事，暗示：西天取經就是一場人生，歷經各種危難，因為人生總是無法一路順遂，總要努力的克服難關、才能成功！故事涵義深遠，配上美圖，讓人拍案叫絕！

高階版2 台灣東方《西遊記》

　　東方出版社的古典文學書，應該是我那個年代必讀的版本，不過他們也與時俱進的改版許多次。這一本算是比較新的版本，文字量多、有黑白插畫，適合當作孩子的終極進階版本。

內頁配圖的圖量
比例比較少。

　　《西遊記》其實也有許多影視產品，如日本的動畫版本、中央電視台的卡通版、日本的真人西遊記……不過我家並沒有太強調看影視版，倒是看三國影片比較多些。因為西遊記的故事雖長，但不如三國複雜，多半就是孫悟空老是被師父誤會，憤而離家出走，三藏法師遇難後又大團圓等類似的情節。妖怪雖多，但是正義的一方永遠會勝利。

《漫畫 STEAM 科學史》系列（全套 5 冊）

作者：鄭慧溶
繪者：辛泳希
出版社：小樹文化

學習關鍵字
STEAM、科學歷史

特色
韓國學校圖書館推薦、韓國科技部優秀科學圖書、韓國文化產業振興院優秀漫畫策劃獎、中國人民大學附屬中學教師推薦「中小學生必讀科普讀物」。

孩子樂讀指數
★★★★

父母教育指數
★★★★☆

內容及重點

本書涵蓋國小、國中生必備科學基礎知識，並且由韓國科學技術學會主席審定，根據孩子必備的科學知識進程，編寫出專屬於國小、國中生的科學知識入門。

小熊媽的推薦理由

近年市面上出現很多強調 STEAM 的書，就是指：結合科學（Science）、技術（Technology）、工程（Engineering）、藝術（Art）及數學（Math）的書籍。簡而言之，這些不只是科普書，而是更多元的科學素養書。

這個概念最早是由美國國家科學委員會提出，經歷多方重視與討論，定名為 STEM。後來又加入一個 Art，變成 STEAM。

將這些學科結合在一起的教育，不再只是學習各自獨立的知識，而是能發展應用數理以及動手做、判斷與解決問題的相關技能，是未來的世界工作所需的競爭力！

本書用簡單有趣的漫畫，讓孩子擁有科學的邏輯概念與美感。有意義的，是它不像一般科學史只重視近代科學，本套書從遠古時期的埃及人、羅馬人科學利用，都有深刻的描寫！

我家兒子看完這套書，也與我分享許多科學的歷史，如：

「阿拉伯數字」，其實是印度人發明的！而伊斯蘭人在一千多年前，就會算「三角函數」了、中世紀時，如果說出

「地球繞著太陽轉」，會被大家當成瘋子？

　　除了古代科學、近代科學，大約從第四冊開始，有趣的內容包括：虎克顯微鏡下的一隻跳蚤，居然是生物界重要的里程碑、克卜勒「行星運動定律」是破解行星繞太陽運轉的三大祕密！

　　此套書內容充實，可以同時學歷史又可以學科學！是近年韓國教育漫畫的佳作。

影音延伸閱讀

套書介紹影片

看漫畫讀故事，了解科學家實驗過程、改良儀器的想法！

圖解科學原理，原來這麼簡單！

《晨讀 10 分鐘：樹先生跑哪去了——童詩精選集》

作者：林世仁／主編、
林良、楊茂秀、
管管、林煥彰、
林武憲、陳木
城、方素珍
王淑芬等 36 位

繪者：許文綺、丸子、
陳又凌、劉旭恭

出版社：親子天下

學習關鍵字
童詩選集、台灣童詩

特色
精選 36 首台灣創作者
所創作的童詩，帶領小
讀者進入文字的美麗國
度。

孩子樂讀指數
★★★★

父母教育指數
★★★★★

內容及重點

　　知名作家林世仁，是新詩愛好者，也是童詩創作者，他特地為小讀者選出好看的詩，引導他們體會童詩的奧妙。

小熊媽的推薦理由

　　我覺得，一個人一生中，至少要讀完一本詩集。即使是孩子，也是一樣。

　　詩，是人類文學作品中，最精鍊、最有韻味的結晶；童詩，則多了些從孩子角度出發的天真奇想、趣味巧思。

　　這本書是特別為台灣小學生設計的童詩選，由知名兒童文學作家林世仁，精選台灣老中青三代的創作者，包括林良、管管、林煥彰、林武憲、楊茂秀、陳木城、方素珍、王淑芬、米雅、子魚等名家所創作的經典童詩。

　　全書內容輕鬆而不說教，用有趣的故事、賞析、遊戲，自然而然的帶孩子進入童詩世界。

　　小熊升國一時，學校要大家寫新詩參加比賽，小熊不喜歡寫作，更別說寫詩了！他很苦惱地來找我討論，我說：「來一起欣賞童詩吧！」於是拿出這本為他準備好久的書——《樹先生跑哪去了？童詩精選集》。

　　結果，小熊哥看完以後，文思泉湧，也寫了一首詩，老師很喜歡，還入選刊登在校刊中，成為我家數理少年初登文壇、第一個正式被發表的作品！一本好書的啟發，果然不同凡響。

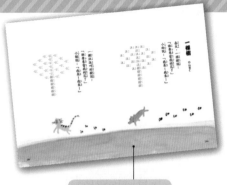

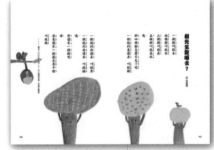

清新的插畫，讓人看了心情都好了起來！

Level II

基本書單

高手書單

讓我們一起來欣賞其中一首好詩：

插秧　詹冰

水田是鏡子
照映著藍天
照映著白雲
照映著青山
照映著綠樹

農夫在插秧
插在綠樹上
插在青山上
插在白雲上
插在藍天上

　　讓孩子讀詩，可以提升精神的層次，學到更多文字韻律的美感。建議平日可以讀讀詩作本身，寒暑假時間多時，親子一起精讀此書賞析的部分。

　　要提醒父母的是：有時孩子遇到難以理解的詩，跳過也無妨。詩的體驗是很個人化的，孩子若不喜歡某些詩，也沒關係，純體驗念詩就好。假以時日若能回頭重讀，會有另一番收穫。

影音延伸閱讀

童詩影片欣賞：插秧

一位很棒的顏福南老師，教孩子用五感寫童詩。

Level II

選書說明

·適用年齡：小三～小四
·含基本書單／高手書單

三、四年級的孩子，漸漸懂事，但也是讓人頭疼的新開始。這年紀的孩子開始喜歡挑戰權威，卻沒有高年級孩子的自制力，有許多老師都曾告訴我：中年級的孩子比高年級還躁動、容易闖禍。所以，此時的選書重點，除了開拓孩子的眼界外，更要選擇一些能提醒孩子做人做事道理的作品。

這個階段，孩子已能不用注音就能讀懂許多書，但橋梁書還是主要的讀物。在此主要的選書精神有下：

1. 文圖各半，甚至文重於圖。
2. 注音可以為輔，但漸漸開始脫離。
3. 除了好笑、幽默，開始注意人格的培養，給孩子正確的生命觀與價值觀。
4. 提高抽象思考、邏輯能力培養的書種。

選書時，我仍加入了經典文學作品，如《三國演義》、《祕密花園》、《孤女努力記》、《天方夜譚》等，不過為了與時俱進，選書時仍選了讓孩子們讀後很開心的近期作品，如：《看漫畫學論語》、《小四愛作怪》、《君偉上小學》系列等。

此外，中年級的孩子，抽象思考能力開始發展，這階段加強看推理書，讓孩子培養觀察細節、歸納推理的能力。如：《三個問號偵探團》、《IQ 遊戲大百科》等。

因為這階段孩子的理解能力、操作能力增強，對科學的認知能力大大提升，因此挑選深度夠、廣度大的科普類好書，如：《神奇酷科學》、《超科少年》、《廚房裡的小科學家》、《魔法校車》等，都是這階段孩子叫好又叫座的作品。

同時，由於創客精神當道，我也選入一本小熊們都很喜愛的書：《玩藝圖鑑》，讓孩子可以自己動手製作獨一無二的玩具。

中年級是孩子人格養成的重要階段，也是理解力大爆發的階段。這階段除了讓孩子愛上閱讀，也要填滿他們的好奇心與求知慾。

當孩子能自己閱讀後，雖不用再親子共讀，但父母也別忘了還是要時時關心孩子看書的內容、看書的廣度與深度，並不時補充新書，讓他能向更高的閱讀能力挑戰。

© 本跨頁圖片由小熊媽拍攝

給父母的建議做法

根據王瓊珠等所做的〈一到九年級學生國字識字量發展研究〉，小一小二的識字量約為 700 ～ 1,200 字，小三小四的識字量則為 2,100 ～ 2,600 字。隨著年級增加，學生的識字量也跟著增加，小一至小五之間的成長最為快速，小六之後則趨於平緩。

識字量的多寡，會影響到閱讀的成效。而自小三小四起，學生開始從閱讀中學習新知，所以，中年級的閱讀能力培養，特別重要！

此時期若無法建立流暢閱讀的能力，將會影響其他領域的學習，造成更多的學習挫折。因此，建議在這階段的孩子，應該培養以下的閱讀能力：

1. 能完全熟練運用注音符號；
2. 能夠不用注音符號也可以自主閱讀中文橋梁書、入門的少年小說；
3. 認讀 2,000 ～ 2,500 多個基本的國字；
4. 開始從閱讀中學習因果關係、邏輯推理。

前文提過，中年級的孩子，喜歡挑戰權威，卻沒有高年級孩子的自制力，所以在選書上特別注意品格教育、美學教育。相關書單有《看漫畫學論語》、《第一名總統：林肯》、《我的故宮欣賞書》等。

因此，這階段仍鼓勵家長要適時與孩子一起共讀，不是孩子識字以後就不管了，更需要每日固定時間（如睡前、飯後），讓親子共讀成為一種習慣與儀式，同時適時朗讀一些優美的韻文、小說、歷史故事給孩子聽，如《愛心樹》、《祕密花園》、《吳姐姐講歷史故事》等。

此外，根據 12 年國教的國語文領域「新課綱草案」強調：要對不同文本、觀點的批判與評述，孩子自第二階段（國小三、四年級），就需學會「就文本的觀點找出支持的理由」。因此，此階段孩子的閱讀，不再只是被動的接受資訊，而是要讓他們學會主動地搜尋有用訊息。

請家長善用本階段書單，提供孩子需要動腦、找資訊的書籍，如：《丁丁歷險記》、《三個問號偵探團》、《神奇酷科學》、《廚房裡的科學家》等。

閱讀能力不能完全以年紀來區別，因此若孩子已經中年級了卻不能享受此階段書單，沒關係，請跳回 Level I，由比較基本的書開始讀。

同樣的，若孩子閱讀能力超前，也要鼓勵他往 Level III 繼續努力！

最後還是要強調：閱讀應該是件開心的事情！請適時讓孩子有選擇的權利，若他對某類書籍（如小說）比較沒興趣，建議推薦書單上其他的書給他讀。

但父母也可以有技巧的讓孩子接受不喜歡類別的書，如由母親或父親親自朗讀給孩子聽，或是上網找相關的影片（如《三國演義》有卡通與連續劇），讓孩子對故事有興趣後，再拿出書本讓他讀。

運用適當的技巧，會讓孩子更有閱讀動機，學習之路事半功倍！

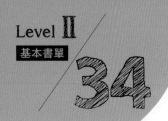

《愛心樹》

作者：謝爾·希爾弗斯
坦
譯者：劉美欽
出版社：水滴文化

學習關鍵字
黑白英語繪本、寓言

特色
繪本界典範之作，已譯
成 30 多國語言，全球
系列銷量逾 1.8 億冊，
是一本暢銷 50 多年而
不墜的好書。

孩子樂讀指數
★★★★

父母教育指數
★★★★☆

內容及重點

從前有一棵樹，她很愛一個小男孩，為了小男孩付出了
一切，甚至它的身軀……小男孩最後歷盡滄桑回來了，愛心
樹只剩樹根，卻依然為小男孩無悔地付出。

小熊媽的推薦理由

這本書是讓日本名作家村上春樹反覆閱讀、一定要親自
翻譯的經典之作！村上春樹曾說：

「這本書你一定要反覆的讀，你可能每次閱讀就會覺得自
己是那棵樹，或那個小男孩，也有可能兩者皆是。

「你如何解釋這個故事是你的自由，不一定要訴諸語言，
故事就是為此而存在。因為故事是反映人心的鏡子。」

作者謝爾·希爾弗斯坦，是美國極富盛名的作家，在我
高中時代，他寫的圖文書《閣樓上的光》，就引起台灣出版
界的轟動，同學間互相傳閱。後來這本《愛心樹》在臉書尚
未盛行的年代，也讓無數讀者自發性製作 PPT 轉載，我就
常常在 Email 裡，收到這本書的 PPT。

對我而言，《愛心樹》故事很像在影射父愛或母愛。告
訴孩子：真正的愛，是不求回報的付出。但孩子是否也該仔
細思考：接受到如此無私的愛，其實不該毫無感覺，而是應
該好好珍惜。

其中，最令人難忘且最感人的最後一段，是：

……很久很久以後，男孩又回來了。

「很抱歉，孩子，我的蘋果已經沒了。」樹說。

「我的牙齒也咬不動蘋果了。」男孩說。

「我的樹枝已經沒了，我真希望可以給你一些東西……但我只是一株殘破的老樹根。很抱歉……」樹說。

「我現在只需要一個安靜的地方坐著休息。我好累好累。」男孩說。

「好的，殘破的老樹根正適合拿來坐著休息。來啊，孩子，坐下來休息。」

男孩坐了下來。

樹很快樂。

父母的愛，不正是如此？在老年時，偶爾孩子回來看看自己，就感到很快樂了。

父母的愛，總是令人難忘，但年輕時總不知珍惜，直到我父親過世，才深深地體會……

也許中年級的孩子還不能體會這本書故事背後的深意，但是可以開始播下閱讀的種子了，因為總有一天，他們會想起關於父母、關於這棵樹的感動美麗故事。

由作者朗讀的老動畫
影片（英文）

Level
II
基本書單
高手書單

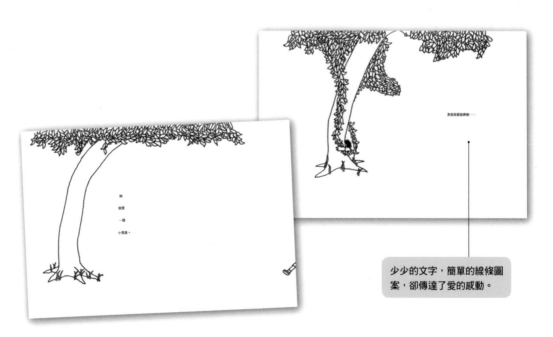

少少的文字，簡單的線條圖案，卻傳達了愛的感動。

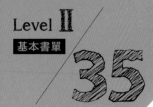

《丁丁歷險記》

圖文：艾爾吉
出版社：親子天下

學習關鍵字
歐洲經典漫畫、偵探、
冒險

特色
風靡全球的經典作品，
總銷量破兩億冊，暢銷
逾 80 年，譯本高達 80
種，至今每年全球銷量
仍維持兩百萬冊以上！

孩子樂讀指數
★★★★★

父母教育指數
★★★★☆

內容及重點

1929 年，《丁丁歷險記》首次在歐洲的比利時報紙開始連載，他正直、勇敢、善良的形象，馬上擄獲許多大小讀者的心！如今的他橫掃全球，80 多年了，在各地受歡迎的程度絲毫不減，成了跨世紀、跨國界最傳奇的經典之一。

全套歷險記共 22 冊，由丁丁帶著小狗米魯，展開許多精彩動人的冒險。

小熊媽的推薦理由

小熊哥十歲的時候，曾再三請求我買一套童書給他，就是《丁丁歷險記》。

《丁丁歷險記》是歐洲家庭的必備童書。話說小熊在小學時，有位從英國牛津附近回來的同學 Jasper，據說他在英國從幼稚園就早已收藏了一整套《丁丁歷險記》！

丁丁在歐洲大受歡迎的程度，就像中國的「紅學」一樣，歐洲也有所謂的「丁丁學」（tintinologie），除了粉絲愛他，歐美的教授學者也以專業角度，努力解析丁丁與作者艾爾吉。

作者艾爾吉（Herge，1907 ～ 1983），從小是個精力充沛的頑皮孩子，據說只有畫畫時才安靜下來。小時候加入童軍團，奠定日後《丁丁歷險記》的創作基礎。

艾爾吉長大後進入比利時的《二十世紀日報》工作。報社的環境使他有機會接觸國外最新的新聞，也使艾爾吉對記者生涯心生嚮往。1929 年，他把心目中理想的記者形象，

以及從小學到的童軍精神，融入自己創作的漫畫故事，創造了「丁丁」這個角色，想不到一炮而紅！受到空前的歡迎。

之後他再接再厲，蒐集各種資料，以國際情勢為故事背景，創作出丁丁系列作品。艾爾吉對歐洲漫畫的影響深遠，被列入「漫畫名人堂」（Comic Book Hall of Fame），比利時更成立「艾爾吉博物館」來紀念他。就像手塚治虫在日本漫畫界一樣，艾爾吉在歐洲有著崇高而不可動搖的地位。

小熊曾說過，最喜歡的一本是《藍蓮花》，因為裡面有許多漂亮的中國字。當時我想：這位作者竟然會中文？真了不起！後來仔細一查，才了解故事的來龍去脈：《藍蓮花》是以中國為背景，內容描述丁丁來到 1930 年代的上海租界，身陷險境，幸好遇見聰明勇敢的中國少年「小張」救了他，兩人共患難，結為好友，協力粉碎了一些日本人侵略中國的陰謀。

畫裡出現的中國字，不像大多數西方漫畫那樣胡寫亂塗，而是有板有眼的漂亮書法。原來小張真有其人，「本尊」是一位當時在比利時留學的中國畫家張充仁；因為「小張」，艾爾吉才有了以上海為背景的《藍蓮花》構想，張充仁則是他的顧問，並成為故事中小張的原型；他也參與了插畫工作，例如招牌、牆面標語那些漂亮的毛筆字，都出自張充仁的手筆。

這套漫畫陪著我家孩子成長，作者的廣泛取材也開拓了孩子的國際視野，是漫畫界歷久不衰的佳作。一定要說：本書不限於男孩欣賞，相信許多愛冒險、有好奇心的女孩，也會喜歡上丁丁與米魯的！（我就是其中之一）

Level

II

基本書單

高手書單

影音延伸閱讀

《丁丁歷險記：
獨角獸號的祕密》
電影預告片

我是丁丁迷：
楊照現身說法

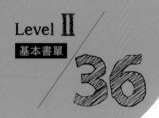
《看漫畫學論語》

作者：王文華
繪者：SANA
出版社：未來出版

學習關鍵字
論語、幽默漫畫

特色
《未來少年》雜誌很受
歡迎的連載漫畫，如今
集結成書，讓許多孩子
主動愛上讀《論語》。

孩子樂讀指數
★★★★★

父母教育指數
★★★★★

內容及重點

以漫畫為主，介紹四書中的《論語》；每篇還附有《論語》的原文及白話文翻譯，加上「生活裡的智慧」及獨特且生動活潑的漫畫解析，讓孩子能由淺入深了解《論語》的智慧，進而應用在生活中。

小熊媽的推薦理由

我國中時讀《論語》，只能說是苦不堪言、味同嚼蠟，因為人生歷練不夠，讀了也無法體會……等我到美國住了多年，在異鄉重新自修四書，才體會到《論語》裡的美麗與智慧。

本書優質的地方在於，除了用孩子喜愛的漫畫來解釋《論語》外，作者還加上給孩子「生活裡的思考」，例如〈子路篇第十三〉的子曰：「君子和而不同，小人同而不和。」很多人不太明白是什麼意思，但王文華老師就解釋得很淺顯易懂：

「君子能與人和睦相處，但不盲目苟同；小人盲目苟同，但不能與人和睦相處。」

在團體中，君子能與人和平相處，懂得包納與欣賞別人；然而他也能堅持己見，做對的事。就像一把好的大提琴，即使團體演奏，還是音色鮮明，不減魅力。

而小人呢，表面上，他們好像很好相處：問意見，每件事都贊成，問想法，都說沒意見；私底下卻抱怨連連，為了自己利益，專扯大家後腿，其實是最難「鬥陣」的呢！

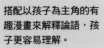
搭配以孩子為主角的有趣漫畫來解釋論語，孩子更容易理解。

Level
II

基本書單

高手書單

影音延伸閱讀

網路影片：蔡禮旭老師
《論語》中的教學智慧

王文華演講：
不山不市的閱讀花園

　　台灣的孩子上國中後，幾乎無可避免地都要讀《論語》，我在國中時，早晨會有國文老師用全校廣播，向全體學生講解每一章節，但只記得班上同學都意興闌珊地趴著想睡，或自顧自做自己的事。這樣沒有先引起閱讀動機，而只是單方面逼孩子學論語，效果真的不彰！

　　我家老大小熊哥，如今上也上國中了，他也說：「背論語，真不是什麼好玩的事情！」

　　不過有這本書後就不一樣了。漫畫部分很可愛，解釋也很爆笑，我家國中生跟小五的弟弟竟開始搶著讀《論語》。老二還不時開口《論語》、閉口《論語》，動不動就跟我講述論語中的大道理呢！看來看漫畫學論語，的確有功效，至少孩子絕對不會苦哈哈地說：都是大人逼我讀論語的！

　　有閱讀的樂趣，即使是古文，讀起來也開心！

王文華演講：我愛閱讀

《原來如此，美術館！》

作者：德雷·克洛巴克
羅斯提斯雷夫·
科綠卡內克、馬
丁·維內克
出版社：小天下

學習關鍵字
美術館、波隆那兒童書
展、美感教育

特色
美感教育的基礎，從閱
讀這本書開始！2017
年義大利波隆那兒童書
展拉加茲童書獎得獎作
品。

孩子樂讀指數
★★★★

父母教育指數
★★★★☆

內容及重點

正如本書審訂者博物館學者劉惠媛所說：「本書以活潑生動的插畫，介紹全世界重要的美術館收藏特色，加上巧妙的摺頁，讓讀者可以藉著書本進入美術館後臺，去認識『藝術品／管理人／觀眾』三者之間密不可分的關聯性。」

小熊媽的推薦理由

選這本書，是因為改版時抽走了一本關於藝術的書（已絕版），本來找了半天、一直找不到適合美學教育的書籍，最後，有位資深編輯推薦這一本。

乍看之下，以為它是一個給兒童看的繪本，但事實上內容十分的充實與深入！我覺得大人也適合讀，所以在此推薦給家長當作藝術欣賞的美感用書。

本書一開始就有一個很特別的摺頁，介紹世界各地有名的美術館，例如美國大都會博物館、紐約 MOMA 現代美術館、古根漢美術館、大英博物館等。在介紹完特色美術館之後，再告訴讀者們美術館如何運作？例如誰會來參觀美術館？學生？創作者？出版商？都有可能！

其中最有意思的是：**藝術作品是如何來到美術館的？**有的是被捐贈的，但也有的是被沒收的，更有美術館購買的。

書中也講到美術館裡面工作者的工作內容，如藝術修復員怎麼修復藏品、布展人員如何企劃、布置一個展覽？在這些有趣的說明之後，還有一些拉頁，可以打開、讓讀者看到驚奇的成果呈現！

最棒的是：在每一頁中曾經出現過的藝術品和藝術家，書的最後都有總整理與說明，讓人覺得十分細膩與用心。

目前對於美學教育的兒童書籍，在書海中真的屬於少數，希望這一本書的出現，能夠提升孩子的藝術素養，同時讓更多孩子樂意進入美術館、一窺真善美的世界！

影音延伸閱讀

小天下總編輯說故事

曾主任一分鐘好書推介
《原來如此，美術館！》

Level
II

基本書單

高手書單

美術館剖面圖：從展場到辦公室、從售票員到布展人員……喔！原來美術館是這樣運作的啊！

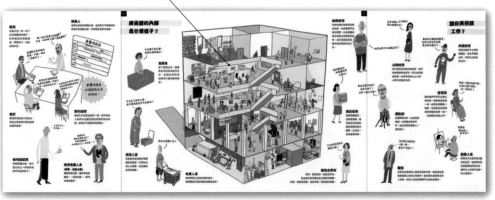

《魔法校車》系列

作者：喬安娜・柯爾、
布魯斯・迪根
譯者：蔡青恩等
出版社：遠流

學習關鍵字
魔法、校車、科普圖文
書

特色
美國暢銷超過千萬冊、
得獎最多、最受歡迎的
兒童自然科學圖畫書，
也是世界最具影響力的
兒童自然科學圖畫書之
一。

孩子樂讀指數
★★★★★

父母教育指數
★★★★★

內容及重點

本系列的主角，是一位有魔法的麻辣教師：卷髮佛老師；她帶著小學生，利用會變化的魔法校車，歷經許多刺激精彩的自然科學冒險。

本系列有動畫、兒童小說、繪本，兒童小說是一本書一個主題，故事活潑生動，兼爆笑有趣，充分掌握了兒童閱讀喜好與口味。

小熊媽的推薦理由

本書是我家男孩在美國求學時，必讀的年級讀物，也是很受歡迎的電視動畫片。當年我在美國，常去圖書館借此系列書給孩子看，還買英語 DVD 給孩子練聽力。事實證明，效果卓越！尤其是男孩子，很喜歡此套書。

本書作者喬安娜・柯爾在「魔法校車」系列中，展現了對科學的熱愛，她所創造的主角：卷髮佛老師，被稱為「所有繪本中最古怪又最慧黠的老師」！記得我家小熊哥在美國讀小學時，常與同學討論書中這個古怪又神奇的老師，以及故事中各具特色的學生們（有的體育強、有的超膽小、有的超愛現！人物描寫十分活潑生動）。我覺得這套書與《神奇樹屋》系列旗鼓相當，都是美國孩子小學共同的重要回憶。

繪者布魯斯・迪根，是美國

童書界知名的插畫家，在本書中，用針筆、水彩、膠彩、色鉛筆等不同材料與筆調，呈現出繪本＋漫畫＋卡通的獨特風格，大受美國小學生及各國孩子的歡迎。

　　隨著故事展開，孩子自然而然就踏進科學的領域，內容包羅萬象，包括生物科學、地球科學、太空科學、氣象學和古生物學，紐約時報把此書評為「最新鮮有趣、最富創意想像的科學啟蒙方式」。

　　我在小熊的台灣小學裡，也常聽到晨光故事志工分享他們利用此書及動畫，來讓孩子學科學的經歷，他們都說：

　　「這套書的動畫雖然孩子們已經看到快會背了，但是還是一直說想看，而且討論時間反應也超熱烈的！」

　　比較可惜的是本系列對人文領域探討比重較低，所以重要性有些略遜於《神奇樹屋》系列；但其幽默感與好笑程度，應該是略勝《神奇樹屋》一籌的。

　　家有喜愛自然科學的孩子，記得找書與影片來看看；如果想練英文聽力，本書在網路的影片資源不少，可以當作很好的教材。

影音延伸閱讀

魔法校車的公視推廣片

魔法校車
Kids in Space | Netflix Jr

《找不到》系列

作者：岑澎維
繪者：林小杯
出版社：親子天下

學習關鍵字
幽默少年小說、校園故事

特色
榮獲「好書大家讀」年度優良少年兒童讀物；並入圍金鼎獎；《找不到山上》獲選新聞局中小學生優良課外讀物推介。

孩子樂讀指數
★★★★☆

父母教育指數
★★★★

內容及重點

位在終年雲霧圍繞的「找不到山上」上的「找不到國小」，有各種神奇的事物，包括一個「找不到校長」！孩子們在裡面有趣的遭遇，每每讓人莞爾一笑。

小熊媽的推薦理由

事先聲明：這本書並非我指定孩子讀的，而是他們讀完後，開心向我推薦的！

作者岑澎維創造出一個有趣的世界：11歲、五年級的小學生阿當，帶大家一起來發現這所「找不到小學」的祕密。

找不到國小裡有三個奇（怪）人：慢慢來老師、不找錢阿姨、看不到的校長。其中不找錢阿姨負責管理懸崖上的福利社，她因為數學不好，訂定規定：福利社絕不找錢！所以大家都得乖乖把錢準備得剛剛好，正好可以練算數。此外，她還規定太胖的學生不能上去（不然福利社會掉到崖底！）。

找不到國小還有「摩天輪圖書館」，中高年級學生都早早到校，搭上圓形吊桶、看著自己喜歡的書，體驗高空K書的遼闊感……真是超幸福的閱讀享受！這點應該是我家兒子最想轉學過去的原因。

《找不到山上》是《找不到國小》的續集，內容講的是：有位地圖奶奶，她的記憶裡裝著找不到山上的每一條路，若你迷路她會告知正確的走法：

「沿著小路往上走，到三棵相連的山櫻花樹下，往前看，走那條右轉的岔路，選擇小路走，數三條岔路別管它們，在第

四條岔路左轉往上⋯⋯」

（真抱歉，這樣我還是記不起來！）

《找不到校長》是系列第三集：新校長來了，他大力提倡：要睡飽！睡飽才長得高！所以找不到國小的早上找不到學生，大家都在家裡睡到飽！

　　以上這些都是讓兒子們捧腹大笑的情節。這套書為何會受孩子歡迎？我想主要是因為作者創造出一個充滿歡樂的校園、有趣的老師與校長。如果現實世界也有這樣的小學，沒有孩子會不愛去上課吧！只是我推測因升學主義感受到無比壓力的父母，可能會不敢送孩子去這種小學 —— 沒有競爭力，太危險了！

　　老二曾告訴我他最大的讀後感想就是：哪一天若可以變成「找不到兒子」，媽媽就沒辦法逼他寫功課了！

影音延伸閱讀

張爸爸讀書會介紹
《找不到國小》

Level
II

基本書單

高手書單

就算看了插圖，果然還是找不到「找不到小學」，相當有趣！

《窗邊的小荳荳（繪本版）》

作者：黑柳徹子
繪者：岩崎知弘
出版社：親子天下

學習關鍵字
兒童文學、世界名著、橋梁書、學校教育

特色
在日本出版史上多次連霸暢銷書第一名，自1981年出版後，銷售超過千萬冊，已譯成35國語言。在中國也曾連續八年登上暢銷書榜，暢銷700萬冊，還曾被收入小學生的語文課文中。

孩子樂讀指數
★★★★

父母教育指數
★★★★☆

內容及重點

本書是日本知名藝人黑柳徹子，寫給書中的巴氏學園校長小林先生的致敬式回憶錄。作者感念校長崇高的人道思想、先進的教育理念，帶給她一生難忘的影響。

小熊媽的推薦理由

《窗邊的小荳荳》一書出版後，曾震撼全球教育界，成為最有影響的作品之一。它是許多老師、家長們共同的閱讀回憶，也是教育者必讀的經典著作。

這本也很適合已經熟悉上學規律的中年級孩子閱讀。當孩子在閱讀小荳荳的故事時，可以從中體驗到一種溫暖的、與眾不同的校園生活，例如：可以在電車裡上課、可以放心光著身體在游泳池裡玩、可以吃到校長說的山珍海味便當、可以穿最耐磨的衣服盡情玩耍、運動會的獎品是好吃又營養的牛蒡與菠菜！這些，都是一般孩子無法體驗的事情，卻也是孩子會喜歡的另類校園體驗。

在此一定要介紹作者：黑柳徹子，她是日本著名作家、電視節目主持人，曾任聯合國兒童基金會親善大使，「岩崎知弘美術館」館長。曾就讀巴氏學園、東京音樂大學聲樂系，之後進入NHK廣播劇團，成為電視台首席女演員。

她主持「徹子的房間」長達37年，是日本最長壽的節目。我在青少年時期，就曾在第四台看過這個節目，雖然只是斷斷續續，但當時從沒想到主持人原來就是小荳荳本人！直到長大重讀這本書，才恍然大悟。

帶孩子到日本東京的岩崎知弘美術館，沿路上都由岩崎老師的畫作領路，是一趟溫暖的旅程。小熊媽／攝

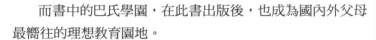

　　這本書是她的求學時的自傳故事。本書暢銷後，讓她在世界各地都有粉絲，台灣當然也不例外。我認識的許多文藝女青年（現在多半已為人母），也是忠實讀者。

　　本書不僅是黑柳徹子的回憶錄，也是一本教育理念書。書中闡述的信念、方法，與德國教育家福祿貝爾（Froebel）所言十分接近：「**教育無他，唯愛與榜樣。**」

　　而書中的巴氏學園，在此書出版後，也成為國內外父母最嚮往的理想教育園地。

　　本書的另一個特色，是日本知名繪本畫家岩崎知弘的插畫！溫暖清新的插畫在字裡行間帶來畫龍點睛的極佳效果，更是本書值得收藏的原因之一。

　　岩崎知弘是我個人最喜愛的日本繪本插畫家。我曾帶孩子到東京郊區，參觀以她的故居所改建的岩崎知弘美術館，十分推薦大家去東京時也去逛逛。

　　其實，這本作品正是岩崎知弘說過的話的最佳寫照：

　　「當我感到疲憊無力時，人心的溫暖讓我熱淚盈眶，我終身的職志不是畫雄偉壯觀的巨幅油畫，而是小小繪本。

　　「希望看到這些繪本的孩子，長大成人後，當人生遭逢痛苦、絕望時，能回想起這些溫暖與感動……」

　　親子天下 2015 年重新出版兩種版本：原文版與繪本版。繪本版圖文並重，原文版字多於圖，建議孩子可以從繪本版開始讀，等到高年級以後，再找原文翻譯版來看，會有更深一層的感動。

　　當然，沒看過本書的家長與老師，建議一定也要找來看看，了解本書能引領風潮的原因吧！

影音延伸閱讀

後甲國小學生推薦此書

作者電視節目
「徹子的房間」
——多啦A夢訪談

Level
II

基本書單

高手書單

《小四愛作怪》系列

作者：阿德蝸
繪者：任華斌
出版社：小兵

學習關鍵字
幽默、校園故事、四年級、古典小說

特色
多次獲得好書大家讀推薦。幽默的台灣校園故事。

孩子樂讀指數
★★★★★

父母教育指數
★★★★

內容及重點

小四生活，有趣中又帶有教育意味的小學校園故事！

這套書目前共有十冊，包括：《小四愛作怪》、《小四愛作怪之少年豆子的煩惱》、《小四愛作怪之三傻闖天關》、《小四愛作怪之瘋狂動物園》、《小四愛作怪之無敵三十六計》、《小四愛作怪之霹靂二十四孝》、《小四愛作怪之挑戰孔夫子》、《小四愛作怪之孟子駕到》、《小四愛作怪之老子來了》、《小四愛作怪之三國亂傳》。

小熊媽的推薦理由

能夠把許多經典古籍，融入小學校園生活，寓教於樂，是本書作者最成功的地方。

作者阿德蝸，又稱 Mr. 蝸牛，本名陳文德，屏東教育大學畢業，研究所念的是環境管理。他很喜歡大自然，也喜歡攝影、音樂和藝術。他在小兵出版的這套《小四愛作怪》系列，不但瘋狂暢銷，也紅遍國小校園。我家兒子們都很喜歡這部作品，而學校圖書館裡的藏書，也被翻得快爛了！

故事是關於一群四年級孩子的故事。藉由圖像與文字，漸漸引領孩子認識孔、孟、老、莊思想、三十六計、二十四孝、三國歷史……除了增進知識，也學習如何與同儕相處、生命教育等人生議題。

每本書以短篇章節呈現，各本的內容各成一個主題。本書吸引孩子的招牌特色是：每篇開頭都有個爆笑的四格漫畫，讓小讀者開心地進入閱讀。

系列中還有《挑戰孔夫子》、《孟子駕到》等，讓孩子在閱讀後會驚訝的發現：自己竟然不知不覺學會了孔孟的經典名句！

阿德蝸老師也在書中教導孩子認識三國。三國中的人物：劉備、關羽、孔明等，無論在戲劇、電玩、漫畫上都經常出現，但是藉由主角們所發生的逗趣事件，了解更多關於三國的典故，又不會讓孩子覺得讀起來太嚴肅，這是作者功力高深的地方。

我家老二在中年級時，會對《三國演義》這麼有興趣，也要感謝阿德蝸老師的引導。

建議中年級以上的孩子，有機會一定要讀讀這套好笑又寓教於樂之作！

影音延伸閱讀

台中文心國小介紹本書

台灣小學生介紹本書

Level II

基本書單

高手書單

四格情境漫畫：容易引起孩子共鳴。

三國小辭典：原著相關典故說明。

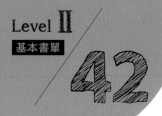
《NEW 全彩漫畫世界歷史》
（全 12 卷）

作者：近藤二郎等人
出版社：小熊出版

學習關鍵字
世界歷史、全彩漫畫版本

特色
用漫畫的方式，讓孩子輕鬆了解幾千年世界歷史的演變。

孩子樂讀指數
★★★★★

父母教育指數
★★★★★

影音延伸閱讀

套書介紹

小熊媽推薦影片

本書介紹：
《漢摩拉比法典》篇

內容及重點

　　每一卷皆以「漫畫歷史故事」為主軸，書後補充豐富的「歷史知識與注解」，附有完整的「世界歷史對照年表」、各時代的「世界歷史地圖」，以及大量珍貴的「文獻史蹟照片」，讓歷史學習生動有趣。

小熊媽的推薦理由

　　當我家老大國三時，在學世界歷史，老二當時小學六年級，也在學世界歷史！而且老二自學，比大哥還認真！

　　他的教材就是這一套書。當年是 2017 年，出版社每月會出一本新書，12 本到年底出完！他很期待每個月拿到新書。

　　現在小學生的課本裡，是沒有任何世界史的！這年頭，靠學校教歷史、不如靠自己找書給孩子讀。我建議讓國小的孩子先讀些中外史地的課外書，心中有個概念，也同時培養世界觀，到了國中，就不會那麼辛苦了！

　　小熊哥說：國中的史地量是突然暴增的！背不完，又因為時間有限、老師趕課，所以很容易感到枯燥乏味。所以若能從小學開始學習，到了國中才能游刃有餘！

　　這套世界歷史，是日本學者審定、近年新銳漫畫家群所畫的，每一卷內容皆分為「漫畫故事」與「歷史知識」兩部分。全系列 12 卷之書目如下：

　　第 1 卷：史前時代與古代近東
　　第 2 卷：希臘、羅馬與地中海世界

書後的重點整理，從時間軸＆地圖空間，讓孩子多角度統整世界史知識！

漫畫故事讓學習世界史，變得有趣多了！

Level II

基本書單

高手書單

第 3 卷：亞洲古代文明與東亞世界的建立

第 4 卷：伊斯蘭世界與歐洲世界的建立

第 5 卷：十字軍與蒙古帝國

第 6 卷：文藝復興與大航海時代

第 7 卷：法國大革命與工業革命

第 8 卷：美國獨立與南北戰爭

第 9 卷：列強的世界殖民與亞洲的民族運動

第 10 卷：第一次世界大戰與俄國大革命

第 11 卷：經濟大恐慌與第二次世界大戰

第 12 卷：冷戰與冷戰後的世界

　　此外，還有世界歷史的人物和世界遺產兩本總整理別冊，整理 12 本書中出現過的人物，都有詳細的文字與圖片說明！搭配別冊，一次讀好讀滿！

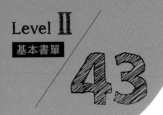

《穿越故宮大冒險》

作者：鄭宗弦
繪者：諾維拉、
swawa.com
出版社：小天下

學習關鍵字

故宮博物院、翠玉白
菜、肉形石、毛公鼎

特色

以故宮國寶為穿越歷史
主題，用古文物來當媒
介、穿梭古今的冒險！
順便讓孩子了解歷史故
事與珍貴文物的價值。

孩子樂讀指數

★★★★

父母教育指數

★★★★★

內容及重點

　　故事的主角是台灣的一位少年，時空穿越了中國歷史上的不同朝代。而促成主人翁穿梭來去的媒介，就是典藏在故宮博物院的文物。這些古老文物，恰好是主角穿越進古代中國最有用的「悠遊卡」！

小熊媽的推薦理由

　　這些年來，穿越劇十分的熱門，作者找到一個很棒的切入點：就是把台灣特有的故宮寶藏，與歌仔戲少年結合在一起！

　　故宮的文物有很多，更是多年皇宮的寶藏，由於戰亂因緣際會到了台灣，得以保存。記得前幾年我去故宮，人山人海，參觀品質低落，大大減低了我去參觀的興趣，但最近因為疫情的關係，故宮變得冷冷清清、門可羅雀，卻是我們國人去參訪最佳時機。

　　在推薦這套書的同時，我真的希望家長能帶孩子去看看書中所描寫的文物，以前是要隔著人牆才看得到，現在可是能站在前面好好的仔細觀賞很久很久，這是十分難得的機會。

　　書中巧妙的利用許多故事穿插提到了幾個重要的故宮鎮館之寶，提到寶物主題如下：

　　1：翠玉白菜上的蒙古女孩
　　來自清朝的蒙古女孩，其實是翠玉白菜上的螽斯，當男

主角身上龍形鳳紋珮綻放光芒時，就是穿越故宮旅行的時刻！

2：肉形石的召喚

故宮失竊的肉形石，與宋朝大詞人蘇東坡有什麼奇妙關連？

3. 天靈地靈毛公鼎

巨大的毛公鼎，是古代祭祀的用品，究竟它有什麼靈力？堅不可摧的銅人與銅獸，將讓西周王朝毀於一旦？

4：蓮花式溫碗的密碼

才華洋溢的宋徽宗，十分熱愛藝術和仙術；〈清明上河圖〉中的繁華京城，與蓮花式溫碗有什麼故事發生？

5：谿山行旅圖冰獸任務

〈谿山行旅圖〉裡竟然住著各路神仙和精怪，北宋畫家范寬到底在畫什麼玄機？

關於詳細的內容，不能劇透太多，就等小讀者們細細的去品味了。

影音延伸閱讀

小天下總編輯說故事

田中高中國中部葉奕緯老師推薦影片

作者介紹翠玉白菜上的蒙古女孩

Level II

基本書單

高手書單

圖文比例約 1：1，慢慢養成孩子的閱讀習慣。

《君偉上小學》系列

作者：王淑芬
繪者：賴馬
出版社：親子天下

學習關鍵字

校園生活、幽默小說、
台灣小說

特色

台灣史上最長銷、最暢
銷的校園故事。獲教育
部性別平等教育優良讀
物、文建會台灣兒童文
學一百選、好書大家讀
年度最佳讀物、新聞局
中小學優良課外讀物、
中時開卷、聯合報讀書
人推薦好書、博客來、
誠品等年度暢銷書。

孩子樂讀指數

★★★★★

父母教育指數

★★★★

內容及重點

作者王淑芬，以自己的孩子化身為書中主角：君偉，透
過第一人稱的幽默敘述，記錄了初入小學時的小一青澀不安
狀況百出，一直到成長為小六的前青春期少年，一共六年的
小學生活幽默紀錄。

小熊媽的推薦理由

《君偉上小學》系列，可說是台灣第一部完整的小學校
園故事，近二十年來三度出版，更顯彌足珍貴。

甚至有人說：小學階段若沒看過此套書，算是沒在台灣
上過小學！

本書於 1993 年出版，2006 年曾大幅改版，最新版本的
《君偉上小學》系列，是親子天下出版的，風趣幽默更勝從
前。在作者細心的修訂下，用詞和內容都與時俱進，非常貼
近現在小朋友的日常生活和用語，字體的大小和版面的編
排，更照顧到不同年級小朋友的閱讀需求。

更棒的是，再加上知名插畫家賴馬叔叔的無敵插畫，一
起發功，小孩的喜愛指數果然破表。我家兒子就常常拿著本
套書，當作怎麼叫也不出來的「閉關開懷廁所文學」！

說到廁所，我家兒子對此書最有感的是：當主人翁君偉
小一時去廁所，看到蹲式馬桶嚇一跳！不知道該正著蹲，還
是反著蹲……我家老二也有類似場景，小學第一天上課後，
他便疑惑地問我：

「媽媽，小學廁所像是好大的『白拖鞋』，怎麼上？」

小熊媽／攝

106

所以當他看到君偉的類似遭遇後，真想與君偉握握手！心有戚戚焉啊……

如果說《神奇樹屋》系列是美國小學生的必讀書，那麼這套《君偉上小學》無疑便是台灣小學生的必讀書了。

作者王淑芬老師一定要介紹。她本是藝術教師，身兼報刊書評撰稿人、兒童閱讀指導講師、手工書推廣者。曾在全國各地推展兒童閱讀、手工書，並舉辦「班級讀書會」、「親子閱讀」、「手工書在教學上之應用」等主題演講；她也架設了台灣第一個手工書專屬網頁「幸福的手工書」。

除了《君偉上小學》系列成為台灣的暢銷童書外，也十分推薦大家去找她的手工書作品：《一張紙做一本書》、《一張紙做立體書》，同樣引起不少孩子的迴響。讓孩子學會用一張紙做出一本書，或從 2D 進入 3D 的立體書世界。小熊曾自己看書從一張紙真的做出一本書，覺得非常有趣。

2016 年王淑芬老師又出版最新系列：《一張紙玩一首詩》，延續了《一張紙做一本書》的亮點，加入各種詩的元素，也推薦大家讀一讀。

影音延伸閱讀

作者王淑芬老師的
介紹影片

校園推薦本書的影片

一起動手用「一張紙做
一本書」

Level
II

基本書單

高手書單

每一個有趣的故事都和孩子的學校作息、學期活動相關，共鳴度高，孩子怎能不愛看！

《經典圖像小說》系列

作者：柯南‧道爾等人
出版社：小熊出版

學習關鍵字
兒童古典文學、漫畫圖像

特色
將古典兒童文學，化為生動易懂的漫畫來陳述故事，讓孩子們對文學的接受度提升許多！

孩子樂讀指數
★★★★★

父母教育指數
★★★★☆

內容及重點

《小婦人》、《莎拉公主》、《湯姆歷險記》、《夏洛克‧福爾摩斯的挑戰》、《銀河鐵道之夜》、《三劍客》等經典兒童文學，圖像化呈現！

小熊媽的推薦理由

其實古典兒童文學對有些孩子來說，還是很難接受，比如說《湯姆歷險記》、《福爾摩斯探案》等，這些故事通常要到高年級，孩子才比較能靜下心來看。但是這一套書的出現，倒是改變了一些現況：用漫畫來呈現古典兒童文學小說，真的比較容易理解、也比較能入門！

這一套漫畫解釋的兒童文學書，還有一個很特別的功用：就是能夠讓**性別認同**更容易被接受！比如說我家的男孩就比較 Man，如果封面是畫了公主或者有粉紅色出現，他們就連翻都不想翻。但是有趣的是：我把此版本的《莎拉公主》放在我兒子的閱讀角，他們竟然就拿起來、把它看完了！後來連《小婦人》這種從來都不願意碰的書，也認真的讀完了！

更棒的是：漫畫看完以後，心中有了理解，他們自己會去書架上找出純文字版本，把它讀完！可見漫畫的威力，真的很大。

之前有提過家長要小心「漫畫陷阱」，就是**要小心孩子只看漫畫不看文字書**，在這裡還是強調：

漫畫是可以看的，但是要請家長慎選好的、有意義的漫

彩色＆黑白漫畫，讓孩子輕鬆進入古典文學故事中。

畫！例如講世界歷史的漫畫，就可以讀；還有這種兒童經典文學的漫畫版本，也十分值得收藏。

這套書有一本是日本作家寫的銀河鐵道之夜，對我來說也受益良多，因為我在成年以後也還不太能理解作者的文意，但是看了漫畫版以後我終於了解作者想要表達什麼！所以圖像它能表達的有時候是超越文字的，這個優點家長也可以用在教育上。這書家裡有一整套，我家孩子即使到國中還不時拿出來翻閱，我真誠建議可以收藏。

市面上有許多標榜教育的漫畫，但其實多半是用誇大的圖像、淺薄的內容來吸引孩子，因此，我建議家長在選擇漫畫的時候，盡量還是找這些文學經典作品給孩子閱讀，對孩子將會有實質上的助益！

這套書給孩子一個容易進入的敲門磚，引導孩子進入世界古典文學的第一步！

《玩藝圖鑑》

作者：木內勝
繪者：木內勝、
　　　田中皓也
出版社：遠足文化

<學習關鍵字>
親子 DIY、自製玩具、
傳統玩具

<特色>
適合寒、暑假孩子無聊
時自製玩具的工具書，
也是小創客入門寶典！

<孩子樂讀指數>
★★★★★

<父母教育指數>
★★★★★

內容及重點

收錄 170 種以上的玩具做法，都是作者在美勞教室和孩子們一起動手做的玩具，有各種有趣的傳統玩具，也有孩子喜愛的創新玩具，要發揮 Maker 精神，這本就能搞定！

小熊媽的推薦理由

本書是專門為想自己動手製作玩具的人，量身訂做的指南書。根據剪刀、小刀、鋸子等不同的工具分類，共分為八章，每一章都詳細說明製作各種玩具所需的工具、材料、做法與玩法。

本書的另一個亮點是：有 6000 幅實用的插畫，具體說明每個玩具的製作步驟與完成圖。書中也仔細標明了每個玩具的製作難易度，讓你由簡入繁，挑戰自製各式童玩。

作者木內勝，1957 年生於東京都，曾赴美國留學，1983年回日本從事繪本的創作。高中時代曾經在東京都兒童館從事美勞教學，後來在 NHK 的兒童繪畫教室，指導繪畫與勞作課程。這些經歷，造就他企劃出精彩的本書，並親自撰文與繪製圖片。

第一次見到本書，我就眼睛一亮！在尚未結婚、仍在誠品書店當文藝女青年時期，就先買下收藏了。可見它的確有些年紀，但歷久不衰。

其實，我當時是為了自己想試做這些小玩具收藏的，結果很可惜，工作太忙，都沒時間做……反倒是兒子們出生了、會讀書以後，一個個被它「電到」，紛紛看此書來做自

己喜歡的玩具。

　　他們做過的東西真不少，例如：兩種紙炮、卷軸遊戲、小降落傘（我小學也做過，很懷念）、用兩個紙杯做 UFO、紙杯劍玉（劍玉是日本傳統童玩，連多啦 A 夢也喜歡玩！）。

　　兒子們還學著自製竹筷槍、用鐵絲自製大彈弓，玩得不亦樂乎。所以收藏本書，CP 值超高！也許可以當作一本世代相傳的「創客傳家寶典」！

　　本書還有教孩子各種工具的基本用法，如剪刀、鐵鎚、錐子、挫子、小刀、鋸子等，當作工具入門也很實用。

　　這一系列的書還有：《自然圖鑑》、《冒險圖鑑》、《生活圖鑑》、《料理圖鑑》、《飼育栽培圖鑑》，我家就蒐集了好幾本，建議大家有興趣可以都找來看看。

　　遠足文化特別出版六本一套的套書，建議可一次購足。

影音延伸閱讀

自製鳥笛的做法

【滾妹‧這一家】
自製玩具

Level

II

基本書單

高手書單

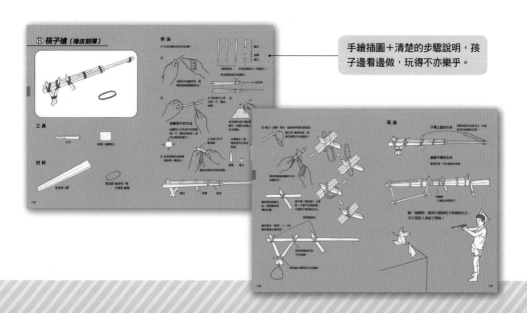

手繪插圖＋清楚的步驟說明，孩子邊看邊做，玩得不亦樂乎。

《波普先生的企鵝》

作者：理查‧艾特瓦特
　　　夫婦
譯者：葛窈君
出版社：遠流

學習關鍵字
少年小說、企鵝、表演、北極

特色
長銷 80 年的經典少年小說，榮獲紐伯瑞獎、青少年讀者票選獎、路易斯‧卡洛爾書卷獎等多個獎項。

孩子樂讀指數
★★★★☆

父母教育指數
★★★★

內容及重點

　　波普先生是個平凡的油漆工，他一輩子不曾出遠門，但卻胸懷一個不平凡的夢想：「到南極看企鵝」！

　　有一天，波普先生收到一個神祕的大禮物：一隻活生生的南極企鵝！之後又冒出更多同類的企鵝，這些企鵝家族為波普一家帶來許多趣事和麻煩。

小熊媽的推薦理由

　　這本書在我家真的是經典閱讀，以前小熊哥在美國念書時，是小學的班級共讀書單，等他回台定居後，自己又去圖書館找了中文版來讀，兩次的閱讀經驗都很好。

　　我個人閱讀，則是在金凱瑞的改編電影版之後，因為電視上轉播了這部電影，小熊說他曾看過原著，而電影中的波普（金凱瑞飾演），是一個疏於跟家人維繫關係的有錢商人，某日收到禮物：六隻活生生的企鵝！後來跟企鵝許多的互動，讓他變得珍惜家庭與親情的故事。

　　小熊看完電影後說：這與原著似乎不同……所以我們母子一起重看原著，才對故事本身有更深的了解。

　　書中是描述油漆匠波普先生，在平凡無聊的生活中最喜歡研究企鵝，有一次他寫信給在南極的探險隊長，沒想到隊長竟然送一隻企鵝給他！

　　之後隊長又送來許多企鵝，波普先生乾脆把這些企鵝訓練成很棒的隊伍，出去表演……但結局是：波普先生帶這些企鵝去北極找北極熊。

小熊上網也查到：作者理查・艾特瓦特原本打算寫知識性童書，卻被女兒反對，所以就改而為書寫一群企鵝的奇妙故事，也就是《波普先生的企鵝》誕生的由來。

書中描述的是一個平凡人的不平凡故事，而生動地敘述了企鵝與人之間互動的有趣場景，是本書最精彩的地方。

本書還有一個環保議題可以和孩子討論：在地球暖化、南極融冰的現代，如何保育北極熊與企鵝，是世界各國刻不容緩的議題。所以，本書也可說是少年文學的經典之作。

影音延伸閱讀

波普先生的企鵝
（Mr.Popper's Penguins）
電影預告片

如果你家突然冒出企鵝，該怎麼辦？看金凱瑞這樣做！

來看國王企鵝上游泳課

Level
II

基本書單

高手書單

圖文比例約 1：2，
文字閱讀量增多。

大場景插圖，讓孩子一眼就能感受玩耍歡樂的氣氛。

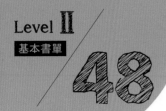
《如果歷史是一群喵》系列

作者：肥志
出版社：野人文化

學習關鍵字
中國歷史、圖文呈現

特色
不是漫畫，小孩卻超愛看。

孩子樂讀指數
★★★★★

父母教育指數
★★★★

內容及重點

天下大勢，分久必合合久必分，由喵星人來詮釋，真是一整個噴飯的暢銷書啊！（笑）

小熊媽的推薦理由

這套書了不得，熊董與文青男搶著看！兩岸孩子們也搶著看！讓汪汪隊十分忌妒……究竟是什麼書這麼神？更奇怪的，是主角們都不是人類，而是一隻隻可愛又圓滾滾的貓咪！

雖然我不了解什麼樣的因素，讓我們國小與國中教科書中不再單獨介紹中國歷史，而是把中國歷史變成了東亞史的一部分。不過，由於國文與中國歷史有很深的關聯性，對於中國歷史，我個人覺得是通曉國文的一個很重要背景知識！

我家小熊哥在小學時，並沒有接觸太多中國歷史的書，因為他是一個喜歡科學的孩子，所以偏愛看科普書，到了國一後，吃盡苦頭，因為國一不教中國歷史，但是國文考試卻出現許多與中國歷史有關的題目！例如有一次考《世說新語·夙惠》的故事，講到東西晉與長安的故事，由於缺乏背景知識，小熊哥的答題全錯！因為他不知道長安在哪裡，也不知道東西晉的演變與偏安的無奈。那次之後，我才了解：讓孩子了解中國的歷史故事，是與我們的中文學習息息相關的！

這套書目前在市面上很暢銷，連我家八歲的董事長，都很愛看。因為書的主角都是一隻隻可愛的貓咪，用小貓咪來

由 10 隻可愛喵演繹的中國歷史，用逗趣對話、誇張表情，說正史故事，大人小孩萌翻天。

每隻喵各有專屬擬人裝扮與生活花絮：從古裝到運動服、從愛吃什麼便當到開哪種店……征服許多歷史喵粉。

Level II

基本書單

高手書單

解釋中國的歷史，應該是我小時候從來沒有過的事情，但是現在什麼都可能。

　　且不說這套書大紅大紫，更重要的是：我家文青男讀了以後，說對於他學中國歷史，如有神助！國中歷史考試再也難不倒他（指與書相關的朝代），讓我不得不佩服這套書作者所做的功德。

　　我想，唯一不喜歡這套書的，應該是愛狗人吧？為什麼主角都是貓咪呢？狗不是也很可愛嗎？而我真誠的建議，就是出一套台灣史，全部都用可愛的狗狗來解釋！這樣兩岸的歷史應該就圓滿了。（笑～～）

影音延伸閱讀

本書介紹

米蘭老師說書影片

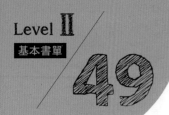
/49

《怪博士與妙博士》系列

作者：林世仁
繪者：薛慧瑩
出版社：親子天下

學習關鍵字
奇想小說、少年小說、
發明、科學、幽默

特色
知名童書作家林世仁與
插畫家薛慧瑩共同創作
的幽默奇想作品。

孩子樂讀指數
★★★★★

父母教育指數
★★★★

內容及重點

怪怪鎮有個怪博士，專門發明各種新奇的事物；妙妙城有個妙博士，也常有各種新發明；怪博士與妙博士各有粉絲擁戴，下面就來說說讓孩子發噱的各種神奇發明。

小熊媽的推薦理由

我家老二很喜歡讀這本書，因為裡面有很多有趣的發明，他很喜歡其中一段叫人起床的發明：

「白魯利先生永遠叫不醒，所以怪博士發明好多特別的鬧鐘要叫醒他，如會跑的鬧鐘、會噴檸檬汁與胡椒粉的鬧鐘、會打人的鬧鐘……可是白魯利先生還是醒不來！原來他因為失眠而太晚睡，怪博士很聰明地發明了『一定睡枕頭』！果然有睡飽，一叫就醒來了！」

此外，還有晴天雨天隨你變的「天氣隨身包」，讓每個人都能選自己要晴天還是雨天，真正做到人人頭上一片天！

為了怕蚊子沒血喝，妙博士也幫蚊子發明「蚊子刺青」：凡是被蚊子叮咬的人，會有有趣的字或圖案出來，如「精忠報國」、「小兔子」圖案、「蝴蝶蘭」圖案，讓大家開始喜歡被蚊子叮。

每次兒子看這本書，都會笑著說：

「呵呵～好妙喔！」

「哇，怎麼會有這種發明？我也想試試看。」

我很喜歡書後附錄的「失敗名言錄」，節錄一些如下：

紀伯倫：一個羞赧的失敗比一個驕傲的成功還要高貴。

比爾不蓋你：人生就像打電腦，有時要關機重來，才會成功。想一直失敗？嗯，你只要一直按錯鍵就可以！

孫山：喂，訪問我幹麼？我又沒失敗，我是錄取榜上最後一名！

本書有點像以前我們看「小叮噹（多啦Ａ夢）」，每一個小短篇就是一個有趣的發明。故事又很好笑，對孩子的想像力與幽默感而言，是很好的訓練。

作者林世仁是文化大學藝術碩士，從事兒童文學創作十餘年。他寫過不少的童話，如：《字的童話》、《換換書》、《誰在床下養了一朵雲？》、《文字森林海》、《怪博士與妙博士》等，這幾本書我家都有收藏，很值得一讀。

後面高手書單收錄他的另一本書《我的故宮欣賞書》。

影音延伸閱讀

大業國小製作的本書
導讀影片

潮州國小的本書介紹
（語音）

快樂兒童餐的迷你版本

《廚房裡的小科學家》系列

作者：學研、村上祥子
出版社：三采

廚房科學、生活應用、
化學

利用隨手可得的簡單家
庭材料探討科學原理，
很適合親子邊做邊玩。

孩子樂讀指數
★★★★★

父母教育指數
★★★★★

內容及重點

想玩科學，其實在家用廚房裡的食材就可以學到很多！書中列舉用家中隨手可得的食材，如砂糖、水果、蔬菜、雞蛋、冰塊、寒天粉、水、牛奶、果汁、小蘇打、醋、咖哩粉、紙杯、吸管、寶特瓶、微波爐等，都能做出有趣的科學實驗。

小熊媽的推薦理由

本書是我偶然借回來給孩子看，結果他們看一本後就欲罷不能、連看好幾本，還互相討論如何做書中的實驗，真的十分有趣又實用。

本書作者村上祥子，在日本是位料理研究家、營養管理師，活躍於電視、出版、演講、烹飪教室經營等工作，有「空中飛人料理研究家」之稱。

她常在全國各小學、幼稚園實地表演料理，而且被視為科學魔術師，獲得家長與孩子的喜愛。

科學教育，不論台灣或美國，都十分重視。不過台灣的小學與國中自然課（國外叫 Science），有些淪於課堂上看看影片、照本宣科，實際動手做的比率比美國少。

但是，科學實驗，就是應該要親自動手，才會印象深刻；觀察變化與原理，也是科學必備的精神。

本書珍貴的地方，是圖片十分多又清楚，讓孩子一目了然，看圖就能自行練習做實驗。

《第 56 號教室的奇蹟》一書的作者，美國知名的雷夫

老師提出:「科學教育的重點,是讓學生自己動手做……孩子應該放下書本、拿起實驗器材。他們必須觀察、實驗、記錄、分析……最重要的是:他們必須失敗,並從失敗中學習。」

本書作者利用廚房做為最方便的實驗室,教孩子許多實驗;這些實驗簡單又容易完成,十分適合拿來當作寒暑假的科學實驗題材。

例如,我家兒子就曾經按照書中指示:把果汁汽水凍在冷凍庫裡,看看會怎樣?(結果瓶子變形快被撐破!)我們母子也試著把嫩薑放在醋裡,真的變成粉紅色(因為有芍藥素)!

兒子有次暑假作業要寫科學實驗,就把書中好幾個實驗都做過一遍。最後選了「紙杯 vs. 鋁箔 vs. 彈珠」的實驗,還拍照寫下紀錄。當然,可以吃的實驗他都沒錯過,一面做一面吃,真是超開心的!

建議爸媽可以跟小孩一邊玩、一邊體驗發生的奇妙科學現象。就像本書的簡介所寫的:

假期學習不中斷!不但學會科學常識,也學會製作美味的料理,一舉兩得。

影音延伸閱讀

超視《超級小英雄》的科學小實驗《廚房裡的神奇科學》

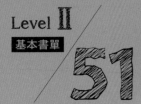
《超科少年》系列

作者：漫畫科普編輯部
／整理撰文、好
面&彭傑（友善文
創）／漫畫製作

繪者：水腦、王佩娟

出版社：親子天下

學習關鍵字

科學、漫畫、力學、電
學、生物學、天文學

特色

完全由台灣企劃、製作
的現代科普漫畫，質感
與內容都十分高超，令
人耳目一新的佳作！

孩子樂讀指數

★★★★★

父母教育指數

★★★★

內容及重點

以幽默漫畫的方式，介紹牛頓、伽利略、法拉第、達爾文等科學家的心路歷程與發現。書的前半為漫畫，後半為文字資料，讓孩子學習科普知識有多元面向的選擇。

小熊媽的推薦理由

因為長期在國小圖書館擔任志工，我對孩子們喜愛的書種十分了解，尤其是男孩；他們最喜歡借閱的書籍，就是探險類、科普類的漫畫書。

不過，很可惜的是，這類書一直都是以韓國的漫畫為主流；最近台灣終於出版了一套「SSJ超科少年」系列，是國人企劃、繪製的高水準科普漫畫，讓人耳目一新。

這套書的特色，是結合漫畫與百科，採雙封面設計：右翻為漫畫，左翻為百科內容，漫畫與百科知識雙管齊下，既有趣味也兼顧知識。我家兒子一看就被「電」到，抱著不放！2016年元旦三天連假，連國二的小熊哥也與弟弟一起研讀。我問他：「用漫畫談科學，會不會太簡單呢？」

小熊笑著說：「不會，因為我會看另一面的文字介紹，其實還滿深入的喔！」

最近看到本書的編輯群介紹說：「由原本立志要當科學家又半途出家當編輯的爛草莓，以及有意散發文青味卻又誤入科學叢林的偽科青組成」，讓我忍不住想噴飯，但想想：也許就是這調調，孩子才願意買單吧！

小時候看科普書，多半只在意牛頓那又大又白的假髮，

影音延伸閱讀

牛頓發現地心引力的動畫

郝廣才講法拉第的故事

Level

II

基本書單

高手書單

對他的一二三運動定律興趣缺缺，如今，此套書卻讓小學的老二走在路上都想與我分享：

「這是牛頓第三運動定律喔 —— 作用力與反作用力！」

「這是第一運動定律 —— 靜者恆靜、動者恆動耶！」

好書的威力真不小啊！

話說小五的老二，看完本套書後一直纏著我問：廣義相對論與狹義相對論，到底有何不同？

在此拜託 SSJ 的編輯，快快出一本《愛因斯坦》吧！

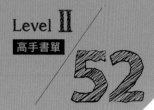

《三個問號偵探團》系列

作者：晤爾伏・布朗克
繪者：阿力
出版社：親子天下

少年偵探小說、推理、
邏輯訓練

德國暢銷十餘年、每年
平均銷售 60 萬本，德
國兒童人手一本的人氣
偵探讀本。

★★★★★

★★★★☆

內容及重點

「三個問號」是三個十歲的男孩，也是業餘小偵探。他
們利用「咖啡壺」當祕密基地，在假日集合，展開他們的偵
查疑案活動。

小熊媽的推薦理由

偵探推理小說，是鍛鍊孩子腦力與觀察力的好工具。

這其中，法國有《亞森羅蘋》系列、英國有《福爾摩
斯》系列，瑞典有《大偵探卡萊》系列……至於德國，則有
《三個問號偵探團》。

這套書屬於中長篇偵探故事，一本書一個案件，以完整
的敘事結構，培養孩子理解、整合、歸納的能力；讀完一個
故事，就完成了一次邏輯推理訓練。

「三個問號」指的是三個十歲的男孩，也是業餘的小小
偵探。

本書把三位小偵探描寫得栩栩如生，讓孩子印象深刻。
他們各自的特色是：

1. 白色問號（=「智慧」）：佑斯圖・尤納斯，十歲，
   是個孤兒。他是三個問號偵探團的主腦。特徵是聰明
   勇敢、有點胖胖的，缺點是他不太喜歡運動。
2. 藍色問號（=「幽默」）：彼得・蕭，十歲，做事很
   小心謹慎，身材瘦高但膽小。與白色問號佑斯圖不
   同，彼得很喜歡運動，游泳、田徑都在行。
3. 紅色問號（=「勇氣」）：鮑伯・安德魯斯，十歲，

他喜歡看書、聽音樂、上圖書館、喝可樂（以上跟我家老二一模一樣！）；性情平和，主動積極，形象斯文，很受女孩子歡迎。（這點我家老二還要加油，他不敢跟女生講話……）

三個男孩雖不太相同，但共同的特點是：**都有強烈的好奇心、敏銳的觀察力和無間的團隊合作！**他們一起偵破許多離奇的案件，揭發驚奇的事實真相。

我家國中的小熊哥與小學高年級的小小熊，兩人都很喜愛這套書，一有新刊出版，他們就搶著看。因為**故事結合了恐龍、海盜、幽靈、魔法……等豐富的冒險元素，還有刺激的動作場景，很難讓孩子不喜愛。**

特別一提：兒子要跟大家推薦、本系列最好看的三本是

1.《迷宮帝國》；

2.《鯊魚島》；

3.《幽魂陷阱》。

若沒有找到全系列或沒時間讀完全部，先看這三本也不錯；故事不需連貫著看，因為每集都有單獨的議題。

家中若有愛推理的孩子，千萬別錯過本套書！

影音延伸閱讀

Level
II
基本書單
高手書單

找不到三個偵探的影片介紹，倒是找到一系列空中美語的少年偵探事件，值得孩子一面聽故事、一面學語言。

空中美語少年偵探事件的中文講解

《第一名總統：林肯》

作者：岑澎維
繪者：團圓
出版社：國語日報

學習關鍵字
偉人傳記、美國總統、
解放黑奴

特色
一本介紹美國最偉大、
解放黑奴但遭暗殺的總
統——林肯的傳記。

孩子樂讀指數
★★★★

父母教育指數
★★★★★

內容及重點

　　從林肯小時候的成長，到如何走上從政之路，娓娓介紹美國最偉大的總統的一生。

小熊媽的推薦理由

　　中年級的孩子，不再懵懂無知，所以我會開始挑選人物傳記，指定孩子閱讀，這一本就是首選。

　　兩百多年來，美國共有四十幾位總統，如果要選出一位「最偉大的總統」，誰會當選呢？英國的《泰晤士報》曾經邀請學者做過排名，結果由第十六任總統：亞伯拉罕·林肯，榮登排行榜第一名！

　　林肯到底哪裡重要？在南北戰爭中，他解放了黑奴，帶領美國走出南北分裂的危機，維護美國統一，這是一種人權的革命，此一創舉讓他受到世人的肯定和推崇。（但林肯也因此遭遇殺身之禍）

　　我家兒子在美國求學時，小學老師常指定的讀物，就包括了《華盛頓傳》、《林肯傳》。

　　本書特別之處，在於它不像其他的林肯傳記，只描述林肯的豐功偉業，而是以一個個小故事，讓人了解林肯從小到大的一生過程：林肯是個家境貧窮的拓荒者之子，母親逝世後，幸好有繼母的疼愛。他自學作文、演講與法律，做事認真，並追求自由精神，不斷地努力下，終於實現了心中的願望。

　　本書可以讓孩子在故事裡跟隨小林肯，共同經歷人生中

的艱困，也學習林肯面對困難卻不屈不撓的態度，這才是偉人成功的道理！

　　我很喜歡本書一個特別設計──文中不時穿插幾句林肯的中英對照名言，如：

影音延伸閱讀

電影林肯傳的預告片

今天的逃避，並無法讓你擺脫明天的責任。

You cannot escape the responsibility of tomorrow by evading it today.

永記在心：你要成功的決心，比任何一件事都更重要。

Always bear in mind that your own resolution to succeed is more
important than any one thing.

　　我家孩子讀完本書，對這位虛心、謙卑、樸實、幽默的林肯一生，有了更多的認識，也從他充滿智慧的話語中，學到許多人生智慧。

　　相信這本書對其他中高年級小學生，會有許多不說教的新啟發。

林肯蓋茲堡偉大演說，
全文僅 504 字，值得
一讀。

Level
II

基本書單

高手書單

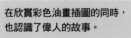

在欣賞彩色油畫插圖的同時，
也認識了偉人的故事。

《神奇酷科學》系列

作者：尼克·阿諾、菲爾·蓋茲

繪者：東尼·德·索羅斯

出版社：小天下

學習關鍵字

圖文科普書、科學、幽默

特色

三度榮獲國際科普書籍最高榮譽：英國皇家學會科學書獎！英國銷售突破 500 萬冊，全球銷售超越千萬冊！已翻譯成 38 種語言，通行超過 20 個國家。

孩子樂讀指數

★★★★★

父母教育指數

★★★★★

內容及重點

用圖畫與輕鬆的方式介紹科學，一本書討論一主題：如動物、植物、身體、能量、電學、時間、蟲子、發明等。

書中有基礎知識、小測驗，以及發明故事、科學軼聞及笑話。深耕孩子閱讀科普書與科學思考的能力。

小熊媽的推薦理由

本套書的特色，在於寫作風格十分幽默，並搭配活潑的插畫，跳脫「科學教育＝困難嚴肅」的刻板形象，讓我家孩子搶著讀，且常拿來當作笑話，全家晚餐時一起分享的好書。

作者之一的尼克·阿諾，自述從沒想過自己會因為創作《神奇酷科學》系列而成名。據說他為了寫出《對抗傳染病大作戰》，做了很多研究，包括：和得了流感的朋友聊天一整晚、前往登革熱疫區旅行、嘗試古代的黑死病療法……他在創作時樂在其中，難怪文筆也異常幽默。

另一位作者菲爾·蓋茲，也是位受人尊敬的科學家，更因為用溼衛生紙做雕塑作品而多次獲獎。（這麼有趣的經歷，難怪畫出來的插畫很噴飯！）

我在圖書館擔任志工時，聽到其他母親說過對本套書的感想：很感謝兩位有趣的作者，讓她的孩子能從小愛上科學，也讓原本畏懼科學的她，重新親近科學。

值得一提的是，書中有很多生活化的創意實驗，可以讓孩子邊玩邊學，體驗令人驚笑連連的科學現象與自然奧祕。

它也收錄了不為人知的科學軼聞，包括科學家的失敗經驗、抱持的瘋狂信念，讓孩子了解科學發展的真相。

　　我家孩子特別喜歡的議題如下，若沒時間看完全套，推薦此必看的三本：

　　《改變世界的電》：本書可以讓孩子跟著科學家，一起發現電子、了解電怎樣讓心臟跳動、如何為候鳥導航。還有日常耳熟能詳的交流電、直流電怎樣啟動了現代世界。讓孩子重新認識生活中不可或缺的電。

　　《點石成金的化學》：書中介紹充滿實驗精神的古代鍊金士所開啟的神祕知識。了解化學可說是了解科學之本，讓孩子提早愛上化學，本書將是候選的功臣。

　　《穿越萬物的時間》：時間，是有史以來最難以掌握的東西。一位超級天才科學家的驚人理論，不但打破了時間和空間的界線，還開啟了時空旅行的可能！

　　科學，是各國教育的重點，本套書能早早讓孩子開心愛上科學，千萬不可錯過。

影 音 延 伸 閱 讀

小小說書人高年級組優選：《神奇酷科學：驚天動地的聲音》

小小說書人高年級組優選：《神奇酷科學：無所不在的力》

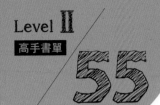

《羅德・達爾經典故事全集》

作者：羅德・達爾
繪者：昆丁・布雷克
出版社：小天下

學習關鍵字
奇幻小說、冒險、童話、寓言

特色
風靡全世界的說故事大師羅德・達爾，三度榮獲美國愛倫坡文學獎，作品以 36 種語言全球發行，英國讀者票選勝 J.K. 羅琳。

孩子樂讀指數
★★★★☆

父母教育指數
★★★★

內容及重點

本套書共十本，收錄名作家羅德・達爾叫好又叫座之作：《壞心的夫妻消失了》、《瑪蒂達》、《吹夢巨人》、《喬治的神奇魔藥》、《世界冠軍丹尼》、《飛天巨桃歷險記》、《狐狸爸爸萬歲》、《神奇的玻璃升降機》、《巧克力冒險工廠》、《女巫》。

小熊媽的推薦理由

2000 年的世界讀書日，英國人票選最受歡迎的作家，就是本書作者：羅德・達爾。英國《泰晤士報》讚譽他為「我們這個世代讀者最多、影響最廣的作家之一！」

半個世紀以來，達爾以其天馬行空的想像力和有趣的情節，征服了英國以及世界無數的小朋友。

我家老二在九歲生日時，好友送他這套書，真是一項厚禮：十本加起來真的很厚！其中他最喜歡看的，就是《巧克力冒險工廠》、《瑪蒂達》、《飛天巨桃歷險記》。

很妙的是，這三部書都有拍成電影，也很適合孩子觀看。尤其是《巧克力冒險工廠》，我們全家一起觀賞過，是由帥氣又帶點邪氣的強尼・戴普扮演主角威利・旺卡，維妙維肖。雖然結局與原著有些不同，但看了以後更覺開心。

建議還沒看此書的孩子，可以找影片先來觀賞，看完後有興趣，再買書或借書來看。

此處推薦的套書，也許未必都要看完，我家孩子是先挑選幾本看，愛上作者後才全部看完。介紹必讀書單如下：

《巧克力冒險工廠》：本書兩度改編成電影，敘述世界上最有創意的巧克力製造家威利・旺卡的工廠充滿了謎。小男孩查理獲得參觀權，他的命運也因此改變。

《飛天巨桃歷險記》：本書已改編成電影，故事是一瓶魔法藥水，讓原本枯萎的水蜜桃樹突然長出巨大的桃子，而且還會飛！詹姆士和一些昆蟲跟著桃子，展開神奇冒險。

《吹夢巨人》：原書名 BFG，描寫一個小個子巨人會製造夢，並會悄悄把好夢用小號吹進孩子的腦袋裡。這個友善的巨人為了保護女孩蘇菲，要與其他巨人戰鬥……本書在2016 年暑假改編為電影上市。

《瑪蒂達》：三歲就會自己看書的瑪蒂達，出生在爸爸是騙子、媽媽是賭客的爛家庭。她遇到一個恐怖的校長，與校長過招時，瑪蒂達發現自己有超能力，最後她也用這能力找到了真正的幸福。

羅德・達爾的作品當中最讓人津津樂道的，是他那笑死人不償命的黑色幽默，而這種幽默大量出現關於大人和小孩對抗的情節，讀起來有些誇張，但作者說：

「巧克力的存在是不需要有任何意義的，它只需要帶給小朋友歡樂就行了！」

影音延伸閱讀

小魔女「Matilda」
電影預告

「巧克力冒險工廠」
電影預告

「吹夢巨人」電影預告

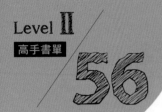

《吳姐姐講歷史故事》

作者：吳涵碧
出版社：皇冠

歷史小說、中國歷史

國人寫給孩子看的完整版中國歷史故事。金鼎獎優良出版品、優良兒童圖書「金龍獎」、國立教育資料館評鑑特優青少年課外讀物。

孩子樂讀指數
★★★★

父母教育指數
★★★★★

內容及重點

全套 50 冊、1075 篇故事，以故事形式來介紹中國的歷史。讀本套書一舉三得：了解歷史、洗鍊文字、豐富國學知識。

小熊媽的推薦理由

小熊哥國一升國二時，曾有一篇學校發的閱讀文章看不懂，請我幫忙解釋，原來是《世說新語》的一篇短文：

晉明帝數歲，坐元帝膝上。有人從長安來，元帝問洛下消息，潸然流涕。明帝問何以致泣，具以東渡意告之。因問明帝：「汝意謂長安何如日遠？」答曰：「日遠。不聞人從日邊來，居然可知。」元帝異之。

明日，集群臣宴會，告以此意，更重問之。乃答曰：「日近。」元帝失色，曰：「爾何故異昨日之言邪？」答曰：「舉目見日，不見長安。」

解釋完並與小熊討論後，發現問題的所在是：

1. 現在孩子到國二前，課本沒教過任何中國歷史（國二後，也只用很短的時間草草帶過五千年歷史），所以小熊不懂東晉與西晉的歷史淵源，更不懂元帝為何要流淚。

2. 現在孩子到國二前，課本也還沒教導中國地理（小學到國一，全是台灣史地），所以不知道長安是什麼，更別提「洛下消息」是啥意義。

所以，生在台灣的現代孩子，若不讀課外書，按照目前的課程教法，到了 13 歲，是完全不知秦漢，更別提魏晉南

北朝唐宋元明清！世界史地也是空無一片。

這就是我們要給孩子的世界觀？我實在很驚訝，為何現在孩子學國文到國中後越來越艱難，「相關的背景知識太缺乏」，竟是一大問題。

我只能建議：家長們，請讓孩子多讀歷史書吧！國文基礎要從小學開始奠定，世界史地與中國史地，目前只能靠孩子自學自修了。

這一套吳姐姐講歷史故事，對於孩子升上國中後的國文與歷史，絕對有背景知識加強的幫助。不過由於一整套有50本，數量很多，或許可以先到圖書館借閱，若經濟能力許可再買回家收藏。

總之，讓孩子認識中國的歷史，並不是過分的事。雖然兩岸分治是事實，但我們用的語言與文化，都是源自悠久的中國文化，不要讓意識形態與政治議題，遮蔽了文化傳承的實質意義才好。

影音延伸閱讀

找到一曲很有用的：中國歷史年代歌

也可以參考：中華五千年歷史故事動畫系列

此套書每本都不會太厚，對剛開始閱讀文字量大的孩子來說，壓力不會太大。

《哈利波特》系列

作者：J.K. 羅琳
出版社：皇冠

學習關鍵字
奇幻小說、魔法、麻瓜、巫師

特色
本系列被翻譯成 74 種語言，在超過兩百個國家出版，所有版本的總銷售量逾 4 億本。名列世界上最暢銷小說之列，也是世界上印量第三高的出版物（僅次聖經和毛語錄）。

孩子樂讀指數
★★★★★

父母教育指數
★★★★★

內容及重點

英國作家 J.K. 羅琳的奇幻文學系列小說，描寫主角哈利波特在霍格華茲魔法學校裡七年學習生活中的冒險故事。

小熊媽的推薦理由

本書系列共有七本，分別為：《哈利波特 1：神祕的魔法石》、《哈利波特 2：消失的密室》、《哈利波特 3：阿茲卡班的逃犯》、《哈利波特 4：火盃的考驗》、《哈利波特 5：鳳凰會的密令》、《哈利波特 6：混血王子的背叛》、《哈利波特 7：死神的聖物》。此一系列作品的主角哈利波特，在魔法學院求學七年的奇幻冒險故事，也改編成電影。

作者 J.K. 羅琳，從一個靠領政府救濟金度日、與女兒相依為命的單親媽媽，在《哈利波特》風靡世界後，一躍成為全世界最家喻戶曉的名作家；豐厚的版稅和電影版權的收入，使她成為全英國最富有的女性，甚至超越了英國女王伊莉莎白二世！

《哈利波特》套書也為作者贏得許多獎項，包括大不列顛年度最佳作者暨最佳童書、史馬堤書卷獎金牌、惠特比最佳童書獎、英國書商協會年度最佳作者、美國圖書館協會傑出童書獎、英國最佳暢銷書白金獎……她還被《時代》雜誌選為年度風雲人物、美國《富比世》雜誌選為英國最具影響的女性。以本書內容來看，的確是實至名歸。

小熊在美國讀小學時，是在小二開始讀原文版的哈利波

特第一集，不少美國孩子也是從二年級或三年級開始讀第一集。本系列越後面，文字越多、厚度越厚，所以我的建議是：**中年級的孩子先挑戰第一、二集，高年級後可以開始看第三、四、五集。**

再次重申：**閱讀能力強的孩子，可不受年紀、年級限制、無限超展開地閱讀！**不過，我也先提醒父母：本系列越後面集數，越陰暗。因為根據羅琳本人所說，本書的一大主旨是死亡：

「我的書與死亡密切相關。整個系列的開始是哈利父母的死，貫穿其中的是佛地魔沉迷於征服死亡，並不惜一切代價來達成這個目標。」

「我非常能夠理解佛地魔對於死亡的恐懼，因為這種恐懼是我們所有人所共有的。」

本書闡述的重點，我覺得是：**友情能克服重重困難，愛則能克服一切黑暗。**所以是很合適給孩子閱讀的經典成長小說。不過，的確需要到一定年齡才能讀得更透澈。

我家小熊哥升上國中後，又拿出來重讀好幾次，他說，每次重讀，都有新收穫。

影音延伸閱讀

哈利波特第一集
電影預告片

作者在哈佛大學的畢業演講，演講題目是「失敗的好處」以及「想像力的重要性」，值得一聽！

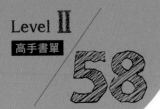
《推理冒險小說必讀雙經典》

作者：莫里斯・盧布
朗、柯南・道爾
出版社：小熊出版

（學習關鍵字）
偵探、懸疑、犯罪破案

（特色）
簡化版的偵探／怪盜經
典系列故事，讓孩子們
能提早閱讀這類的偵探
懸疑小說。本版本每一
集有超過 50 張彩色插
圖，宛如看動畫般的視
覺效果！

（孩子樂讀指數）
★★★★☆

（父母教育指數）
★★★★

内容及重點

亞森・羅蘋是怪盜，善於喬裝易容，他膽大心細、聰明睿智，雖是大盜，卻具有仁義之心，劫富濟貧，常常成為窮人感謝的對象，有「俠盜」的美名。

神探福爾摩斯，擁有傑出的推理能力，破解了無人能解的奇案，他了解社會學、犯罪學、病理學、地質學、心理學、解剖學等眾多知識，是偵探小說的代表人物。

小熊媽的推薦理由

記得我小學時候，東方出版社出版了整套的《福爾摩斯經典探案全集》與《亞森・羅蘋全集》，到了現在，還有不斷的新版本出現，可是因為現代孩子對於圖像的接受度，遠遠大於對文字的接受度！也就是說：現在的孩子越來越喜歡看手機、圖文漫畫，甚於純文字書，所以，我在圖書館當志工時，發現高年級孩子能夠讀完東方出版社的這兩套書的人，其實並不多。

還好，小熊出版社出了《怪盜亞森・羅蘋》、《名偵探福爾摩斯》這兩套簡易小說版，更妙的是：裡面的插畫是用現在孩子喜歡的日本式漫畫插圖。說真的，我從來沒想過亞森・羅蘋會長得這麼年輕幼齒，根本就像是動畫走出來的美少年！

這版本的福爾摩斯，看起來比亞森・羅蘋還要老，這跟我的印象有些不合，不過，這不影響我兒子對這兩套書的喜愛。

透過圖像化的地圖線索、人物個性描述，每個孩子都能化身小小福爾摩斯。

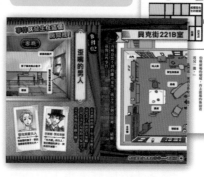

原本根據我的推斷，兒子可能要高年級才會讀亞森・羅蘋與福爾摩斯，沒想到我家老三因為這套書的出現，在小學二年級就已經讀完這兩整套亞森・羅蘋和福爾摩斯了！

雖然這個版本的故事比較簡化，彩色圖片也非常的多，但是它的意義在於：引導孩子提早進入偵探小說的世界！

托這兩套書的福，我家老三後來又努力看了其他的偵探小說，例如《三個問號偵探團》(p.122)，連克莉絲蒂謀殺天后的《東方快車謀殺案》電影版，他都看得津津有味，還把影片錄下來、連看了不下數十遍！

李家同教授說過：偵探小說可以提高孩子對於事情的理解與邏輯能力，我相信這是十分正確的。這兩套書孩子們的接受度十分高，因為全彩的插畫，十分引人入勝！

家長如果希望引導孩子進入偵探小說的世界，這兩套書是不錯的敲門磚！

影音延伸閱讀

柯南・道爾介紹影片

立體劇院新片 - 福爾摩斯

怪盜亞森・羅蘋廣播劇

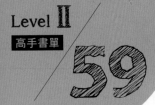

《孤女努力記》

作者：耶克特‧馬洛
出版社：台灣東方

學習關鍵字
少年成長小說、卡通原著、勵志

特色
台北市政府評選優良兒童讀物。卡通《小英的故事》原著。

孩子樂讀指數
★★★★★

父母教育指數
★★★★★

內容及重點

女主角佩玲的父親是法國人，因與印度女性結婚而與祖父鬧翻，全家四處流浪。佩玲 14 歲時父母相繼去世，她遵從母親的遺言，回到父親的故鄉但不敢與祖父相認，於是隱瞞自己的身分，到祖父的工廠當女工；之後因為會說英語、法語，成為祖父信賴的祕書，得到祖父的賞識，最後終於苦盡甘來，與祖父相認，找到幸福。

小熊媽的推薦理由

本書是法國作家馬洛（Hector Malot, 1830 ～ 1907）於十九世紀末的作品。原文名稱《En famille》，台譯本為《孤女努力記》或《孤女尋親記》。日文版標題則是《家なき娘》（無家可歸的女孩）。

作者的另一部作品《Sans Famille》（台譯《苦兒流浪記》，日譯《家なき子》〔無家可歸的孩子〕），內容與本書非常相似，日本也曾改編成動畫，叫《咪咪流浪記》，同樣值得一起找來看看。

本書的日本動畫在台灣播出時譯為《小英的故事》，那已經是民國 68 年的事了，但到現在我還記得主題曲：

小英趕著一輛車，走過森林渡過小河；
小英帶著一隻狗，走過大街越過村落。
小英急著要回家，不管山高谷深路顛簸，
不怕風吹雨打行程遠，一刻不停留。
小英急著要回家，勇敢向前走！

雖然是很典型的圖文分頁編排，卻能讓孩子在閱讀文章時，不容易被太過喧鬧的插圖干擾，而能專心在文字故事中。

Level
II

基本書單

高手書單

故事敘述少女佩玲（卡通名小英）在攝影師父親過世後，母親繼承遺志，帶著她要去投靠住在法國的祖父，但也不幸在抵達法國前病逝。小英之後歷盡千辛萬苦，被騙錢、身無分文地努力抵達祖父的城鎮，卻因為祖父一直對母親有偏見而不敢貿然與祖父相認。

本書最精彩的、被人津津樂道的情節，是全書後半段的敘述：小英因緣際會地從女工升格為祖父的翻譯，進而成為貼身私人祕書，一點一滴贏得祖父的信任，最後終於與祖父相認，獲得幸福！

《孤女努力記》與《苦兒流浪記》常被視為姊妹作，因為兩部作品的主角皆是世俗眼中所謂的「雜種」：小英父親是法國人，母親是遭法國歧視的印度人；咪咪則是一個私生子，不見容於歐洲主流社會。

有評論指出，作者藉這兩個故事，來批判資本主義的階級對立、帝國殖民主義、種族歧視……但姑且不論作者寫作的出發點，只要看過故事的人，都很難不被內容吸引，即使是我家不太愛看以女生為主題的男孩們，這本書也被他們拿出來一看再看。應該是女主角的經歷太過神奇、毅力太讓人佩服吧！

影音延伸閱讀

台灣東方新版本介紹

《祕密花園》

作者：法蘭西絲·
霍森·柏內特
繪者：英格·莫爾
出版社：國語日報

學習關鍵字
世界名著、兒童文學、
成長、生命觀

特色
全球30多種語言譯
本，銷售數千萬冊。全
球權威牛津出版社，收
入世界經典必讀叢書；
美國權威雜誌「紐約書
評」列入《紐約時報讀
者目錄》、英國BBC大
閱讀（BBC Big Read
Top21）上榜書。亞馬
遜網路書店讀者最愛五
星推薦版本。

孩子樂讀指數
★★★★

父母教育指數
★★★★

內容及重點

　　描述兩個生命中缺少父母關愛、心靈逐漸枯萎的英國小
孩，和一個能與動物說話的男孩，三個人相遇後，藉著祕密
花園的神奇能量，喚回他們對生命的新感動。

小熊媽的推薦理由

　　《祕密花園》與《柳林中的風聲》、《愛麗絲夢遊仙
境》並列世界三大最受兒童喜愛名著。《祕密花園》也被視
為二十世紀最經典的兒童文學作品，極具閱讀價值。

　　此處所選的版本，為新譯本，特色是加上知名插畫家英
格·莫爾精緻且詮釋細膩的繪圖，開創出文字之外，另一個
更精彩、更絢麗難忘的「祕密花園」。

　　劇情描述一位出生於印度的英國女孩瑪莉，是個被寵壞
又缺乏父母關愛的小女孩，之後因雙親去世，從印度回到英
國投靠姑丈。

　　瑪莉發現姑丈很冷漠、很少在家，且家中還藏著不能行
走的表弟柯林；柯林從小也缺乏父愛母愛，性格很不好。直
到一個會與動物溝通的男孩迪肯加入，三人有了互動，並找
到柯林死去母親最愛的一座祕密花園……花園讓柯林、瑪莉
重新得到大人的關愛，也溫暖了他們的心靈。

　　作者法蘭西絲·霍森·柏內特（Frances Hodgson Burnett），
是英國家喻戶曉的劇作家和作家，她的兒童文學備受推崇。
最膾炙人口的作品除了《祕密花園》（The Secret Garden），另
外還有《小公子》（Little Lord Fauntleroy）、《小公主》（A Little

影音延伸閱讀

電影版本的預告片

Preisner 為此電影配樂的精華

名著改編《祕密花園》｜看電影了沒

Level
II

基本書單

高手書單

Princess）等，都是我小時候就很有名、讓人愛不釋手的兒童讀物。

作者於 1849 年出生於英國曼徹斯特，16 歲時舉家遷到美國田納西州的諾克斯維爾，從此步入寫作一途。19 歲開始在雜誌上發表作品，其文筆細膩，擅長描寫孩子心靈上的自我轉變和成長，作品多次改編成電影、電視劇、舞台劇；《祕密花園》當然也不例外。

我很推薦 1993 年電影版《祕密花園》。除了片子拍得很美，配樂還是由著名的波蘭作曲家普瑞斯納（Zbigniew Preisner）所作，讓整部電影充滿童趣外，兼具感傷與詩意。

我常在寫作之餘散步於森林步道，而這部電影的配樂，常陪著我度過許多美好的靜謐時光。

如果孩子對原著接受度尚不夠高，建議可以先欣賞電影版本，同時也可欣賞美好的音樂。

《祕密花園》全譯本（野人文化出版）

《三國演義》
五種閱讀版本建議

作者：羅貫中
推薦版本出版社如下：
風車圖書、小熊出版、
親子天下、世一、東方
出版社

學習關鍵字
中國歷史小說、三國、
謀略、戰爭

特色
中國古典小說四大名著
之一，是學習歷史與國
文重要的經典必讀書！

孩子樂讀指數
★★★★★

父母教育指數
★★★★★

內容及重點

講述由黃巾起義、三國鼎立到西晉統一的過程，以劉
備、關羽、張飛、諸葛亮，以及東吳、曹魏、蜀漢為主軸而
發展出來的歷史故事。

小熊媽的推薦理由

我家的三國迷，不是老大，而是老二小小熊。

老大從小在美長大，所以至今還是愛讀英文書。但是老
二大約四歲回台，正式教育都在台灣。本來，他是一個從不
愛書、只愛玩車的文盲男孩，讓我傷腦筋很久，沒想到小一
正式識字後，變成一個大書蟲！每天功課不寫，就是窩在家
中各個讀書角看書……

當然，這也讓人煩惱，熊爸總是念他：功課還是該先放
第一優先順序啦。不過怎麼講，也改不了一有空就念「閒
書」的毛病，《三國演義》更是他永遠也看不膩的最愛。

其實，在進入三國之前，小小熊有完成許多階段系列的
閱讀：先完成一堆橋梁書、《西遊記》、《神奇樹屋》全套
系列……並不是孩子一開始識字後，就能馬上讀《三國》。

閱讀重在理解力，理解力則需要如堆積木般，由基礎再
向上的不斷挑戰新文本，才能繼續精進。

也許因為以前常在誠品企劃各式書展吧！我個人很喜歡
先仔細觀察讀者的喜好與反應，再去挑下一本書。老實說，
老二會成為三國迷，事前選書的工作，我們也真的努力下過
一番功夫與嘗試……當然也有踩過地雷、跳太快的試誤學

習，然後才找出這一套由淺入深的選擇。

在此提供給大家參考：

入門版 1 風車圖書「漫畫文學經典名著」系列
《三國演義》

這本書很厚，跟枕頭有得拚！不過圖很大、字很少，對於最愛看漫畫系列的小男孩而言，是最能接受的圖畫版三國。

 本書的大幅插圖，孩子的接受度很高。小熊媽／攝

Level II

基本書單 高手書單

入門版 2 小熊出版《歷史漫畫三國志系列》（全套六冊）　影音延伸閱讀

此套書是日本學研社的漫畫版本，繪者為神武廣慶，人物塑造方面，畫的恰如其分。這一套書的好處，是他除了漫畫之外，還有年表說明，以及地圖分布，此外，因三國故事而衍生的成語、典故，都有放在書裡面。日本人也超愛三國故事，看了這版本，真的十分佩服、無話可說！

本套書還有一個別冊，是《圖解英雄事典》，裡面解釋了近 140 位角色鮮明的三國人物，讓孩子對於三國故事，能更深入了解全貌。

系列介紹

中階版 1 親子天下《奇想三國》系列，共四本。

　　這套書應該是台灣近年企劃三國書的佳作！我個人給予高度的肯定，重要的是每一本都有把歷史與幽默的想像結合，沒有太嚴肅的說教，讓孩子看三國也會笑聲連連。我家老二把這套書讀了再讀，每次讀完都眼睛發亮、開心不已。

　　作者王文華與岑澎維，本來就是功力極高的寫手，出版後果然佳評如潮，在我家也成為書櫃的鎮寶之書。

　　內頁插畫，也很接近現代孩子的喜好。

中階版 2 世一「兒童古典文學」系列
　　《新編三國演義》（一套三本）、
　　「傳世經典文學」系列《三國演義》（大開本）

　　就我個人來說，十分欣賞的是這一套，理由如下：1.忠於羅貫中的原著思想；2.字很大，排版很不錯；3.插畫十分精緻，走東方水墨路線，充滿中國古典意境（可與金庸小說的插圖相比）。

　　總之，這一套我個人覺得是古典插畫版的優秀作品，而小小熊，也同樣很賞光，從小一到如今小四，一直不時拿出來欣賞它。

　　世一版的大開本，在很多大賣場都有賣，價格實在便宜到嚇人。不買，就太對不起自己、孩子與作者嘍！

內頁的插畫，
讓三國讀起來
更有歷史感。

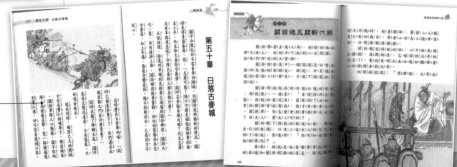

文字量較多，故事內容詳細。

Level
II

基本書單

高手書單

進階版 東方出版社《三國演義》（上下冊）

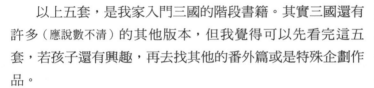

這套書的寫法雖然也是白話，但內容比前幾本要詳細，插圖也可圈可點（可惜是黑白的，不過另有意境）。

以上五套，是我家入門三國的階段書籍。其實三國還有許多（應說數不清）的其他版本，但我覺得可以先看完這五套，若孩子還有興趣，再去找其他的番外篇或是特殊企劃作品。

最後要說的是，當孩子卡關、讀不下去時，我會放一些電視版的三國（中央電視台有新版、舊版兩種）給他們看。因為看到真實的演出，更會激發他們繼續閱讀的動機。尤其是舊版的三國電視劇，那關公、張飛、諸葛亮……活脫脫就像是從書裡走出來的人物，讓人不得不撫掌讚嘆。

不過，並不建議一開始就給孩子看連續劇，因為閱讀旨在培養理解與想像力，現成的電視劇會扼殺這些特質，所以建議先給孩子看看精彩的官渡之戰、空城計片段就好。寒暑假有空的大孩子，才建議慢慢欣賞。

此外還有電影版的《赤壁》，大場面大卡司，也值得一看——不過情愛戲的部分有些多，並不適合低年級的孩子，所以建議孩子中高年級後，再由父母陪同欣賞。

期待更多孩子也能走進三國美好的世界！

影音延伸閱讀

央視舊版《三國演義》的主題曲，十分有意境

《跟最厲害的
現代藝術家學畫畫》

作者：瑪莉安‧杜莎
出版社：原點

學習關鍵字
現代藝術、自學繪畫、
蒙太奇、普普風

特色
了解現代藝術，同時跟
著一起創作的好書。

孩子樂讀指數
★★★★

父母教育指數
★★★★★

內容及重點

本書讓小讀者及家長可以跟著現代藝術家：米羅、線條大師克利、抽象大師康丁斯基、馬諦斯、超現實大師達利、墨西哥第一女畫家卡蘿、普普藝術大師安迪‧沃荷、達達女藝術家侯赫等，一起學習各種現代畫派與技巧。

小熊媽的推薦理由

本來第 62 本我選的是《格列佛遊記》，但仔細思考後，決定換成這一本，因為文學與科學實在夠多了，一定要再放一本關於美學教育類的好書！

這一本是 2016 年的新書，針對所有愛畫畫的人（不只是孩子），介紹了 40 種必學技法。**透過史上最強的 18 位現代大師的獨門技巧，讓畫畫變得簡單好學又好玩。**

現代藝術包括了：超現實、野獸派、抽象畫、普普風、蒙太奇……等，這些現代派的作品通常不太容易懂，也不能被普羅大眾所接受，但是若能讓孩子跟著本書玩一遍，就會豁然開朗：原來，這就是現代藝術！沒那麼難啊！

作者瑪莉安（Marion Deuchars）是國際知名的英國插畫家，根據她的創意，孩子可以學到：想表現西班牙藝術大師米羅的童趣，可以閉著眼睛畫；而跟著克利畫線條，才能感受，線條也能表達情緒；跟著西班牙雕刻家奇伊達，能玩出一張不難創作的抽象畫；也可以用普普風的版畫，為你的貓咪畫出類似安迪‧沃荷的普普風愛貓；或是用達達女藝術家侯赫的照片蒙太奇，做出一張孩子專屬的怪怪大頭照。

學會現代派繪畫的理念與創作方式，不只解放孩子自由

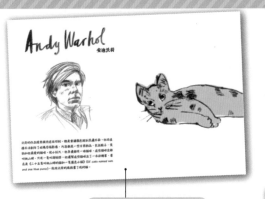

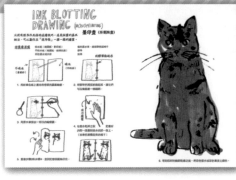

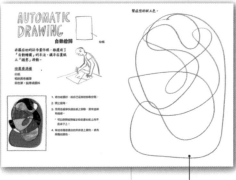

作者先分享自己受到藝術
家的影響而創作的點子。

Level

II

基本書單

高手書單

提供不同的建
議，鼓勵孩子
自己畫畫看。

的創作魂，也讓他們能實際體會這些看似奇怪的現代畫技法；年近知天命之年的我，在仔細讀一遍後，對於過去看不太懂（也不太喜歡）的現代藝術，現在比較能敞開胸懷、看得懂了。

我家老三才四歲，我常帶著他在家裡塗鴉，有一天他問我：好多同學都去畫室學畫畫了，如果他沒去，是不是就不能學好畫畫呢？

對此，我也思考了很久。不過當看到本書，對於在家教孩子藝術，有了新的想法與信心——孩子學畫一定要去補習班或畫室嗎？其實有本好的教材，也能在家自學。至少現代繪畫是可以用書中自由奔放的創作，學到一些中心思想的。

2016 年暑假，台中國美館有日本知名浮世繪作品展覽，浮世繪大師葛飾北齋以及許多同期作者的作品，都讓我家孩子印象十分深刻；剛好回家後我用這本書的創意方式，教孩子學浮世繪作畫，獲得許多正面回饋。可以在家跟著現代畫大師一起創作，是很實用又有趣的體驗。

本書是讓孩子認識當代藝術的最佳捷徑，也是漫長的寒暑假，家長可以用來與孩子自學藝術的好書。

影音延伸閱讀

現代藝術大師：達利

關於野獸派與馬諦斯

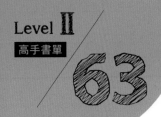

《天方夜譚》

作者：楊政和／改寫
出版社：台灣東方

學習關鍵字
阿拉伯、民間故事、阿拉丁神燈、一千零一夜

特色
台北市政府評選優良兒童讀物、流傳多年的老故事。

孩子樂讀指數
★★★★★

父母教育指數
★★★★

內容及重點

相傳阿拉伯有一位美麗的王妃，叫謝拉莎德，她每夜不斷的講述一個接著一個精彩故事給國王聽，一直講了一千零一夜之久！這些故事內容不但包羅萬象，還充滿奇情幻想，所以被記錄下來，流傳到後世，成為奇幻故事的經典之作。

小熊媽的推薦理由

本書又名《一千零一夜》，是阿拉伯民間故事集。相傳阿拉伯某國王發現妻子不貞，便將其殺死，更因而認為：女人都是愛欺騙的生物！所以他決定每日娶一少女、隔天便殺掉，以示對女性的報復。

負責找國王新娘的大臣，有個聰慧美麗的女兒謝拉莎德，為了拯救無辜的女子，自願嫁給國王。謝拉莎德開始夜夜講故事給國王聽，但很技巧地每講到最精彩處，天便亮了，國王因為想知道後續故事，不忍殺害她，允許她下一夜繼續講……

就這樣，許多精彩的故事一直講，直到講了一千零一夜！國王終於被她感動，不再殺害無辜女性，與謝拉莎德相守共老；《一千零一夜》的書名，就是從這起源而來的。

東方出版社的版本，改編了其中〈阿里巴巴和四十大盜〉、〈阿拉丁與教皇的寶燈〉、〈辛巴達航海〉和〈四色魚〉等四個故事。

讀《天方夜譚》，是我小時候很難忘的體驗，除了電視有卡通讓人著迷外，讀了故事後，我常會想起阿里巴巴那勇

敢的女僕把駱駝桶中藏的壞人消滅、阿拉丁神燈如何神通廣大、四色魚裡有紅杏出牆的妖婦故事、辛巴達航海記裡的商人們用鳥去收集卡在肉上的鑽石……這些詭異卻又神奇的故事，變成一個個不可思議的畫面，讓小小的心靈充滿驚奇。

故事中的異國風情、神奇歷險，能開拓孩子的眼界與想像，我認為這本書是一本一生中不可不讀的「奇書」！

本書的全譯本也有許多不同版本，更有不同的詮釋，不過目前東方出版社的版本，的確很到位，可以以本書為入門磚。

不知道阿拉丁和辛巴達的孩子，都應該仔細讀讀此書。等將來聽到有人說：

「Open, SESAME!」（即「芝麻、開門！」，是阿里巴巴故事裡面的通關密語）時，孩子也不會丈二金剛摸不著頭了。

影音延伸閱讀

小時候看過的卡通
《天方夜譚》主題曲

日文版卡通
《天方夜譚》的第 32
集飛飛的祕密（中文配音
＋字幕）

Level
II

基本書單

高手書單

書中插畫人物的衣著、背景，表現出阿拉伯風格，能幫助孩子很快地進入故事情節中。

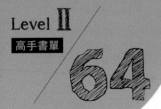

《小王子（中英雙語版）》

作者：安東尼・聖修伯
里

繪者：曾銘祥

出版社：晨星

學習關鍵字

文學、經典、奇幻、冒
險、大人的童話

特色

享譽全球 70 年，有多
達 257 國語言譯本，全
球銷量逾 2 億冊，僅次
於聖經。被譽為世界上
最好的 10 本書之一！

孩子樂讀指數

★★★★☆

父母教育指數

★★★★★

內容及重點

失事的飛行員遇到一個沙漠裡的小孩，他自稱是從外太
空來的小王子。小王子講述許多關於自己的故事，最後卻消
失了……

小熊媽的推薦理由

其實，對於要不要收錄本書，我心中一直有些掙扎。

平心而論，本書是一本為大人而寫的童話。故事中處處
暗示了逃亡中的作者和祖國、作者和妻子、作者和童年時代
的關係，同時對大人一些不好的習性和現代社會也有尖銳的
諷刺。

有一次，我去新北市國小推廣閱讀演講，正好 2015 年
電影新動畫版的《小王子》上映沒多久，現場有一位母親擔
心地問我：

「看了電影預告，女兒本來很高興要看這本原著，可是
看了以後卻一直難過得哭，怎麼辦呢？」

我建議她：這本書本來就是為大人而寫的，與幸福美滿
的童話結局不同，所以孩子若還不能接受，就把這本書收起
來，等孩子大一些再拿出來讀。

不過最新電影版《小王子》上映後，市面上又一陣小王
子熱，我覺得，中年級的孩子是可以讀讀內文的，讓這種帶
點哲學意涵的童話故事，先在腦海中留下一點印象，真的要
能體會其中深意，可能要等青少年以後、人生閱歷多些後重
讀，才能有另一種收穫。

作者安東尼‧聖修伯里，出生於法國，具有貴族血統。他的一生充滿冒險，熱愛飛行，他是利用飛機將郵件傳遞至高山和沙漠的先鋒。

他的作品《小王子》，甫一出版便獲得全世界讀者的喜愛，不過出版一年之後，他被派飛美國，執行勘察勤務，不幸在一次飛行任務中失蹤，自此音訊全無，成為法國文學史上最神祕的一則傳奇。而這遭遇，也與書中的飛行員主角有類似的巧合，只是作者到底有沒有遇到小王子？他是不是跟小王子一起去了其他世界？沒有人知道答案。

《小王子》堪稱為二十世紀格調最高的童話作品，也是作者聖修伯里所著作品中，後世評論最高的一本！**我覺得本書的內涵，早已超越了童話的範疇，倒像是哲學的寓言；**在此節錄幾句書中難忘的句子，與大家分享：

· 只有用心才能看見一切，真正重要的東西用眼睛是看不到的。
· 你為你的玫瑰付出的時光，使你的玫瑰變得如此重要。
· 沙漠如此美麗，是因為在某個角落裡藏著一口水井……
· 如果你馴養了我，我們就會彼此需要。你對我而言將會是世界上獨一無二的，對你來說，我也會是世界上獨一無二的。
· 當你仰望星空的時候，因為我住在其中一顆星星上面，因為我將在其中一顆星星上面笑，在你眼裡，彷彿所有的星星笑了。只有你擁有愛笑的星星！

2015 年《小王子》
最新電影版預告片

公視《小王子》動畫
（片段）

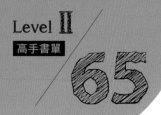
《科學築夢大現場套書》

作者：親子天下編輯部
出版社：親子天下

學習關鍵字

科學、生活、台灣、機
器人、溼地復育、火箭

特色

台灣三群科學家發揮創
客精神，完成三種不同
的科學夢的真實紀錄。

孩子樂讀指數

★★★★

父母教育指數

★★★★★

內容及重點

台灣科學家在地努力的圓夢介紹，內容包括：

1. 一起離開地球上太空！ ARRC 自製火箭；
2. 歡迎光臨機器人時代！百變智慧機器人；
3. 蛙做的夢是什麼顏色？古溼地復育記。

小熊媽的推薦理由

這三本科學書最讓我驚艷與敬佩的是：都是台灣在地科
學家努力的故事！

這套書前面都有簡短的漫畫，後面是較深入的文字＋圖
片說明，很適合小學中、高年級及國中生閱讀。

其中我家孩子最有興趣的，是關於機器人的那本《歡迎
光臨機器人時代！——百變智慧機器人》，我家小熊哥從小
接觸樂高機器人 EV3，也參加過 WRO 樂高機器人的世界大
賽，對機器人研究一直很有興趣。本書介紹機器人的製作、
需求、挑戰，還有現場的照片、未來的分析。

小熊哥在小學時曾問過我：「媽媽，妳知道發展機器人
需要怎樣的人才嗎？」（因為他有點想朝這條路發展）；如今此
書出版，答案就完整的寫在書中：

1. 機械專業；
2. 電機專業；
3. 資訊專業；
4. 材料專業。

藉由本書的介紹，我告訴小熊哥：如果對製作機器人有

興趣，可以及早朝這些領域做準備。

　　另一本《蛙做的夢是什麼顏色？古溼地復育記》，是我很佩服的台大教授張文亮老師的溼地復育故事。本書讀起來十分親切、貼近生活，也能喚起環保意識。

　　至於《一起離開地球上太空！ARRC 自製火箭》這本書，對於懷抱太空夢的孩子，是一個入門的起點。想要自製火箭，不是遙不可及的夢想，因為台灣也有許多逐夢人正在努力，本書是一個很好的指南。

影音延伸閱讀

ARRC 太空追夢
MIT 火箭起飛

台大教授張文亮談青蛙
棲地營造（片段）

台灣「機器人」系列報
導

2015 年台灣機器人產
值 上看 584 億元

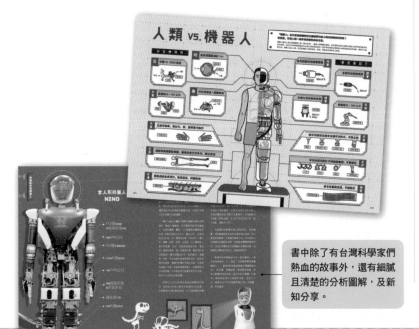

書中除了有台灣科學家們熱血的故事外，還有細膩且清楚的分析圖解，及新知分享。

《我的故宮欣賞書》

作者：林世仁
繪者：BARKLEY、
　　　黃祈嘉
出版社：小天下

學習關鍵字
故宮博物院、博物館導覽、中國古物

特色
歷時 5 年，華人世界第一本專為兒童編寫的故宮欣賞書！

孩子樂讀指數
★★★★

父母教育指數
★★★★★

內容及重點

本書從故宮收藏品中，精選七大類、三十六項故宮寶物，用兒童的語言、真實的照片、逗趣的配圖、插畫，讓孩子可以遨遊濃縮版的「紙上博物館」，同時培養孩子歷史、文化的知識，以及藝術鑑賞的眼光。

小熊媽的推薦理由

國立故宮博物院是世界四大博物館之一，收藏了無數從新石器到現代的中華藝術珍品，是近距離接觸歷史文物，讓孩子了解文化的最佳場所。

不過老實說有好一陣子，我不敢帶孩子去故宮觀賞文物，因為遊客太多，很怕擠不進去或根本看不清楚。2011年為了〈富春山居圖〉去過一次，被服務員不好的態度嚇到後，就沒再去過，也一直想：要是有一本書，可以帶孩子先紙上神遊故宮，該有多好！

結果心想事成，竟然真的出版了這本書，太神奇了！

作者林世仁，是有名的童詩及童書作家，在寫這本書時，他說：

「我不是『作者』，而是一個『編者』。我是用編輯的眼光來編撰這一本書。面對文物，我俯身成一座橋，希望可以搭起少年和故宮之間的一個輕鬆管道。在選題上，我以故宮最著名的藏品為主，希望讀者到故宮時，比較容易親眼對照、看見。

「編撰過程中，我體悟最深的是：所有藝術品都是時間的

結晶，因此，作為觀賞者，我們也需要時間的投注，才能解開它的美學密碼。

「衷心希望這一本書，能在少年朋友的心中，留下一個和故宮初相見的印記。那麼，在未來的時間解碼下，終有一天，長大後的少年朋友會真正看見隱藏在文物之下的美好！」

我選錄這本書，也是希望台灣的孩子，除了學習本土的教育與知識之外，也能回溯文化的源頭。中華民族有五千年的歷史，更有許多優美的藝術作品，值得去了解、欣賞。

我們常希望孩子有寬廣的世界觀，而世界觀必須建立在了解自己的文化根源之上。有了根基，才能向上、向外發展，但又不會進退失據、隨波逐流。

2016 年暑假，為了欣賞「秦俑」特展，我帶著三個孩子再訪故宮。果然如預期的，人潮已經少很多。服務人員的態度也很不錯，有笑容也十分有禮貌。此趟行程十分有意義，尤其對國二的小熊來說，讀了不少古代歷史地理，看展更多了許多「我有讀過」的感動。

由於故宮人潮不如前幾年那麼恐怖，正館的常設展我們也能慢慢逛、仔細看，十分值得。台灣學生只要出示學生證，不用買票即可入場，本地人士出示身分證也有門票優惠150 元（正常票價是 250 元）。

孩子小的時候，去故宮真的只能看熱鬧，升上國小中高年級，甚至進國中以後，看展的能力提升許多。了解文化，不用死讀書，多帶孩子去故宮走走吧！

書中針對珍貴的古畫文物，還特地解說並放大細節讓孩子學會欣賞的訣竅。

Level
II

基本書單

高手書單

影音延伸閱讀

本書的介紹影片，林世仁老師主講

《晴空小侍郎》
《明星節度使》

作者：哲也
繪者：唐唐
出版社：親子天下

學習關鍵字
冒險、奇幻小說、台灣
本土少年小說

特色
新聞局中小學生優良課
外讀物推介書籍、誠品
書店年度 TOP100 暢
銷書、德國法蘭克福書
展、義大利波隆那童書
展台灣館推薦作品。

孩子樂讀指數
★★★★☆

父母教育指數
★★★★

內容及重點

　　《晴空小侍郎》：從前有一個朝代叫「晴朝」，鬼特別多，多到讓朝廷成立一個「鬼部」來管理。某位小男孩為了找妹妹來到莫怪樓，卻莫名其妙變成「晴空小侍郎」，開始營救妹妹的神奇旅程……

　　《明星節度使》：一個怪裡怪氣的貓女孩烏梅，要到傳說中的莫怪樓尋找父親，認識了小侍郎。兩人要用最簡單純粹的力量，讓光明照亮每個陰暗的角落。

小熊媽的推薦理由

　　第一次聽到哲也的這兩本書名，是因為我有位誠品兒童館的老同事，她的兒子當時剛要上小一，另一位同事曾這樣稱讚這孩子：

　　「這孩子真了不起，還沒上小學，就自己讀完《晴空小侍郎》與《明星節度使》了，真是神童！」

　　當時我還沒讀過這兩本書，馬上好奇地找來看看。原來，兩本書都好厚！對幼兒園剛畢業的小孩來說，有點像枕頭書。不過仔細閱讀之後，發覺字很大、分段俐落易閱讀，文句不繞口又很幽默，因而佩服起作者哲也的說故事功力。

　　我覺得可以這樣形容本書：像是「中國童話的武俠奇幻小說」，作者融合了中國民間信仰（如灶神爺、福祿壽神），也夾雜東方《浮生六記》與《南柯一夢》情節（與王爺的女兒共度一段生命），更有日本動畫火影忍者般的符咒幻術（如晴爺爺與小侍郎對調身體的情節）。作者天馬行空的想像力，把許多因

有電影場景效果的插畫風格，讓孩子更容易進入又武俠又奇幻的故事中。

素融合、架空到一個被封印的朝代（說得連我都快相信有晴朝了），將一個哥哥救妹妹的感人故事，說得精彩俐落又不落俗套。

作者在文中寫了許多自創歌謠、押韻對聯，尤其是最後在百鬼樓對戰時，晴空小侍郎與晴風小侍郎聯手出擊，兩人必須先後說出許多含有「風」及「空」的成語，攻擊的威力便會大增。這一段讓孩子讀來可是拍案叫絕！這同時，小讀者們也學到不少成語，還真是寓教於樂呢！

第二集的主角不只是晴空小侍郎，還加上一個小女孩，名叫烏梅。烏梅受到了詛咒，壽命正慢慢減少，她和晴空聯手拯救地獄，卻差點犧牲自己，但她還是很樂觀地面對困難，用愛包容一切。

第二集涉及的人鬼大戰，連天堂與地獄都出來了，很像我兒子愛打的「大亂鬥」，而且最後兩位主角還完成了一件從沒有任何宗教或故事敢完成的偉大功業：讓地獄都空了！也算是另一種創意吧！

最後一定要提，兩本書都表示愛、善良能感動別人、拯救一切。但這些愛和善良卻仔細地包藏在幽默感人的文字中，不說教，卻能達到感動人的神奇效果。感謝哲也為我們的孩子，創造出另一種好看小說的可能性。

影音延伸閱讀

《晴空小侍郎》十週年紀念版影片

選書說明

五、六年級的孩子，有的發育快的已經比老師與父母還高了，但心智年齡卻未必追得上身高。

這是一個關鍵的年紀，許多人生觀的養成，也在這階段。

五、六年級時，若能養成固定閱讀、好學不倦的態度，對於國中階段是一大助益。反過來說，若是這階段的孩子仍不能愛上閱讀，或是挑選適當的書閱讀，到了國中，只怕會與好書越離越遠。

尤其，我們現在的國中教育還是大考、小考考不完！原本愛書的孩子可能都會沒時間（沒心情）讀課外書，更遑論本來就沒有閱讀習慣的孩子了。

因此，父母要把握這黃金的最後階段。首先，讓孩子養成固定的閱讀習慣；其次，則是要讓孩子有機會親近真正的好書。

在這階段，孩子已能無礙地讀懂許多書籍，不過這階段閱讀的目的，除了純粹好笑與樂趣之外，更要找到人格的典範、開展廣及世界的眼界！因此本階段首先推薦一些淺顯易讀的中外名人傳記文學，如：古代的屈原、文天祥、貝多芬等；以及一些現代傑出人物傳記，如李安、宮崎駿、馬拉拉等人。

其次，本階段也選入不少文字量與難度都加深的少年成長小說，甚至成人小說，如：《追蹤師》、《理想國四部曲》、《野林三部曲》、《希臘狂想曲全集》等。

總歸來說，本階段主要的選書精神如下：

1. 以文字為主，圖為輔，但優質的插圖仍可增進孩子閱讀的樂趣，讓他們更愛讀書。
2. 可以開始閱讀簡單的成人書，不必局限孩子只讀兒童讀物。
3. 要更注重人格與正確價值觀的培養。好書養成天使，壞書造就魔鬼！家長選書不可不慎。
4. 除了文學與科普，也要兼顧音樂、藝術等美感教育書，讓孩子有不同的眼界、與對美的事物之體認。

此階段的選書，都是我家小熊哥與小小熊在高年級時愛讀的書。其中有些是他們自己找來看的，有些是我指定而有好評的書籍。

比較值得一提的是漫畫類，我選了《一個人去跑步》、《怪醫黑傑克》，這都是我與孩子共同承認、具啟發性的佳作。

小熊哥還因高木直子的《一個人去跑步》，而愛上了慢跑與路跑，一直到國二，他有機會就去路跑，對健康有很大的助益。

《怪醫黑傑克》不但可以學習科學知識，更可學到人性的黑暗與光明面，是可讓青少年開始思考人性與人生的漫畫佳作。

希望孩子愛上閱讀，書單挑選除了兼顧知性與感性之外，讓閱讀有樂趣，絕對還是王道！

Level III

給父母的建議與做法

根據我台大心理系恩師胡志偉老師所做的研究，小一到小六的平均識字量（中文字）為：700、1,200、2,100、2,600、3,100、3,300。

我在寫作緣起，曾提過 Chall 在 1996 年指出，兒童閱讀可分六階段：

學習閱讀 Learning to read	從閱讀中學習 Reading to learn
1. 前閱讀期（0 到 6 歲）	4. 閱讀新知期（四到八年級）
2. 識字期（一、二年級）	5. 多元觀點期（八到十二年級）
3. 流暢期（二、三年級）	6. 建構重建期（十二年級以後）

其中後三階段為「從閱讀中學習」（Reading to learn）。高年級孩子，正是「從閱讀中學習」的階段。從閱讀中得到新知，是該具備的能力，更是為將來獨立學習、獨立思考的準備。

此時期必須具備流暢的中文閱讀水準，建議在這階段的孩子，應該培養以下的閱讀能力：

1. 能自主閱讀中文少年小說；
2. 認讀 3,000 以上的基本國字；
3. 能從書中學到科學、品格、為人處事、音樂藝術等相關知識；
4. 能分辨什麼是好書，知道自己喜歡的閱讀種類，進一步能夠自己找書來讀。

我在圖書館擔任志工近十年，發覺許多高年級的男孩有兩個值得注意的狀況：1. 不像中低年級常常來圖書館（可能更忙碌了，或是沒建立起閱讀習慣）；2. 仍然只愛看漫畫，不想看文字書。

其實，好的漫畫，也很有教育意義，但只讀漫畫是個警訊：圖像閱讀，對孩子來說總是比較簡單的。到了高年級卻還是只看漫畫、沒有努力進入文字書、小說、科普書的閱讀，是十分可惜、更是十分吃虧的事！

為何說是吃虧呢？因為好的文字書，不但能鍛鍊孩子的抽象思考能力，更能強化識字能力，提供孩子日後寫作文的素材。對於孩子閱讀的

偏食（通常是漫畫偏食），家長一定要注意，並給予適當的導正。畢竟，對文字閱讀的能力與喜好，要從小學開始鍛鍊。等到國中再去糾正，只怕為時已晚。以下細分階段注意事項：

【高年級階段】

1. 基本上女生閱讀能力進展比男孩快，對小說及各方面也較無「閱讀偏食」的現象。倒是男生還是比較喜愛漫畫、科普書、圖鑑書、冒險書，要鼓勵孩子除了喜愛的主題外，也能多涉獵不同書種（如文學書）。

2. 孩子越大，自主性越高。基本上，高年級的孩子我鼓勵讓他們選書讀，但是我建議：每個月還是該有家長指定的讀物，例如人物傳記、經典少年小說，讓孩子有機會涉獵多元書種。

3. 對於孩子強項的領域，建議放手讓他去精讀。如喜愛科學的孩子，多鼓勵他看更深入的科普書；但是對於弱項，也要引導，不能偏廢。如孩子不愛讀歷史書，那就幫他選些好的歷史人物傳記、有趣的歷史小說。

4. 此階段孩子已進入前青春期，要加入些性別教育的書籍，如青春期的生理變化指南、性別平等教育的書。

【國中階段】

1. 孩子因課業加重、自由時間變少，要鼓勵孩子保持閱讀的好習慣。可以用獎勵的方式，如用讀書集點，換上網、看電視時數，讓孩子固定閱讀課外讀物。

2. 國中階段，家長還是需要適時引導孩子選擇具有意義、類別多樣的好書！不能全部開放給孩子自己選書。建議可參考本書書單，或是找圖書館書單，「好書大家讀」的書單等。

3. 這時期的孩子步入青春期，反叛性較大，因為荷爾蒙的作用，孩子容易與父母鬥嘴、鬧脾氣、唱反調；所以當父母覺得某些書不錯，想推薦給孩子時，建議不要用命令的方式強迫孩子閱讀。可以先念一些段落、選部分書摘給孩子先看看。我常和國中兒子在臉書、Line上互動，也會不時分享書摘、好文給他。

與孩子為友，不要太威權，但也不要過於放任，多用誠意、多方面溝通，相信孩子會接受的。

《世紀人物 100》套書

作者：郭怡汾、陳景聰
　　　林佑儒、文淑菁
　　　等人
出版社：三民

(學習關鍵字)
東西方人物傳記、歷史
人物、藝術家、音樂家

(特色)
本系列是世界知名人物
傳記故事，簡單易懂，
內容十分生活化，是國
小圖書館及公立圖書館
的常見傳記類套書！

(孩子樂讀指數)
★★★★

(父母教育指數)
★★★★★

內容及重點

　　《世紀人物 100》這套書，是很適合國小高年級及國中生閱讀的入門傳記系列套書。

　　在將近 100 本的人物傳記中，有些是西方人，如貝多芬、莎士比亞、華盛頓等；有些是中國的偉人，如屈原、文天祥、岳飛等。每本都有獨立人物的成長故事，可以選有興趣的來閱讀。

小熊媽的推薦理由

　　2016 年的立秋，小熊與我聊起他在國三學國文的狀況。他說，老師上了一些古文作家作品的賞析，自己突然很想知道「文天祥」這個人的故事。

　　其實，文天祥的〈正氣歌〉，我記得是高中教材；愛念傳記的弟弟早已念過《世紀人物 100》這套書中文天祥的故事，只是小熊哥對中文書（含文學、歷史）較無興趣，課餘只愛讀英文小說，所以，他至今還不知道文天祥的故事。

　　趁這個機會，我讓他先看看《世紀人物 100》的文天祥傳記，外加文天祥維基百科。看完後他說，很欣賞文天祥寫的〈過零丁洋〉：「辛苦遭逢起一經，干戈落落四周星。山河破碎風拋絮，身世飄搖雨打萍。惶恐灘頭說惶恐，零丁洋裡歎零丁。人生自古誰無死？留取丹心照汗青。」

　　還有他死時在衣帶中發現絕筆自贊：「孔曰成仁，孟曰取義；惟其義盡，所以仁

至。讀聖賢書，所學何事？而今而後，庶幾無愧！」

小熊說，文天祥寫的真好！這讓我突然覺得，小熊能學到這些，是多麼幸運……曾有親朋好友對我說，可惜，當年小熊若留在美國念書，不要回台灣，不但功課壓力小，英文也能學得好！

可是，我開始慶幸他能在台灣好好學習正統中文；讓他有機會體會文天祥這令人感動的故事、讀到〈正氣歌〉這種千古文章。這不但是文化的傳承，也是氣節的典範。我相信，這對他的人格將有深遠的影響。

凡事都有一體兩面，受教育也是。有得必有失，有失必有得吧！

本套書每一本的作者不太相同，我家孩子讀過後，中國偉人推薦的是這幾本：屈原、孫臏、伍子胥、文天祥、李白、諸葛亮。

西方偉人推薦的是這幾本：貝多芬、莎士比亞、達文西、牛頓、愛因斯坦。

基本上，這套親切又好讀的人物傳記，每一本都值得一讀；更神奇的是，本書定價十分親民：每本才 100 元左右！若打折更便宜。我看了價格實在忍不住想：吃一個便當可能就不止這個價錢吧？在此推薦家長一定要去買個幾本，親子都讀一讀吧！

影音延伸閱讀

文天祥的動畫故事

屈原的動畫故事

Level
III

基本書單

高手書單

全頁的黑白情境插畫，搭配故事情節，讓孩子閱讀輕鬆無壓力。

《葛瑞的囧日記》系列

作者：Jeff Kinney
出版社：未來出版

學習關鍵字
校園日記、中學男生、
幽默圖文書

特色
45 種語言譯本，全球
熱銷 150,000,000 冊。
全系列連續四年榮獲文
化部「中小學生優良課
外讀物推介」。改編電
影《遜咖冒險王》，風
靡全球。

孩子樂讀指數
★★★★★

父母教育指數
★★★★

內容及重點

本書是美國中學生葛瑞的日記式小說，以又寫又畫的日記本方式呈現一個青澀的少年如何度過有時無奈、有時搞笑、有時諷刺的美國校園生活。

小熊媽的推薦理由

小熊哥在讀美國小學一年級時，本書就開始暢銷，而且班上每個男孩幾乎都會看。但是在台灣要看懂原文，可能要到中、高年級。

關於閱讀本書，如果想讓孩子練習英文，我真誠建議：請買原文版！因為孩子看過中文翻譯後，就會像看《神奇樹屋》（中文版）一樣，一旦知道內容後，就不想再看英文版了。

不過，如果只是想讓孩子娛樂、開心，那麼讀中文版就夠了！更好的是，未來出版的中文版，很貼心的把英文原文版本收錄在另一半部，讓孩子可以兩種文字都看到。

本書雖然講述的是美國初中生（middle school）的生活，但也很適合給小學高年級生閱讀，藉此認識並了解美國學生的校園生活。

主角在學校裡不是風雲人物，反而是有點類似魯蛇（Loser）的帶衰人物，也許這就是本書暢銷的原因之一：每個人都不是完美的，而孩子們就是喜歡看主角出糗的時候。

老實說，作者畫的人物很像麵條人＋貢丸頭，不是以美形取勝，不過主要閱讀群是男孩，我想這樣正好適合男生的

調調。而且這造型意外討喜，因為此風格配上幽默的文字，意外地很得青少年的歡心！

男孩子喜歡幽默的筆觸，以及主角的衰運；倒是沒聽過太多女生喜歡看本書，因為下一部要介紹的作品：《怪咖少女事件簿》，比較合女孩子的胃口，畫的人物也美形、夢幻多了。

讓孩子讀這本書，有一個額外的好處：書中對白出現許多課本學不到、老師沒有教的英文口語、俚語、片語。想要學習生動又道地的美語口語，本書算是不錯的教材。

本書當然也有改編成真人電影，（雖然我家兒子說，還是原著小說比較好看。）有興趣的可以找來與孩子共賞，順便練練英語聽力。

影音延伸閱讀

《遜咖日記》
作者創作過程大公開

《遜咖日記》
電影預告片

示範如何畫出主角？
How To Draw Greg
From Diary Of A
Wimpy Kid

以可愛呆萌插畫、逗趣對話，畫出中學生活點滴，深得青少年歡心。

《怪咖少女事件簿》系列

作者：Rachel Renée
Russell
出版社：博識圖書

學習關鍵字
校園日記、中學女生、
幽默圖文書

特色
全球銷售突破兩億冊、
全美銷售突破五千萬
冊、長踞《紐約時報》
暢銷榜 156 週、2011
年獲 Nickelodeon Kids'
Choice Awards 全美兒
童票選「最喜愛的書」
提名。

孩子樂讀指數
★★★★☆

父母教育指數
★★★☆

內容及重點

　　一本記錄著少女生活的日記系列書。書中，有少女追逐明星夢的現實生活，也有淡淡甜甜的戀愛滋味。主角妮琪有對搞不清楚狀況的父母，也有煩人的妹妹，還有可以分享心事的麻吉和討人厭的同學……加上生動又少女漫畫式的插圖，也為本書增添不少吸引力。

小熊媽的推薦理由

　　《怪咖少女事件簿》算是少女版的《遜咖日記》，主角妮琪以詼諧搞笑的自嘲口吻，描述自己進入明星中學之後的新生活。

　　她很努力想融入新學校，但是運氣似乎一直都不怎麼好，常常弄巧成拙……經過了無數風風雨雨、很多帶衰又倒楣的事情，還好這段青澀歲月，在歡笑淚水中得到完美的結局。

　　本書的插畫，比《遜咖日記》更華麗、更像少女漫畫！尤其是那大眼睛、美好的身材，都比《遜咖日記》能吸引小女孩，所以本書的目標群設定，是很成功的。

　　自從《遜咖日記》一炮而紅後，小熊哥就一直想找類似的少年讀物：不是漫畫、不是小說，而是用日記形式記錄美國青少年的生活，以便了解更多美國趣事。

　　小熊在美讀過小學，但對中學生活很感興趣，尤其是他童年的死黨在美國都讀中學了！雖遺憾不能一起上中學，但是看看 Dork Diaries 的有趣校園紀錄，也能讓他感受一下沒

影音延伸閱讀

讀者介紹（英文）

網友自己拍的
英文版影片

能擁有的求學經驗。

說真的，美國中學生比台灣的中學生幸福多了；台灣的國中仍是大考小考考不完，美國中學生卻可以過著當校刊專欄作者、計畫舞會等精彩生活……實在太羨慕了！

這類典型的青春喜劇經常拍成好萊塢電影，然而電影終究是過眼雲煙，嘻嘻哈哈看完之後很難能記得什麼，書本卻可以讓讀者從容地細細品味，體會小說中各個角色的特質，理解每一句對話的幽默，也從字裡行間了解美國青少年的流行文化，十分值得體驗。

有趣的是，除了小熊哥愛此套書，連很 Man、正值青春期升小六、開始不跟女生講話的小小熊，也偷偷翻看這套書……而且十分樂在其中呢！

看樣子本書的確有其獨特魅力吧！不分男女、一律著迷！

書裡充滿許多女孩們憧憬的各項精彩活動：當明星、記者、參加舞會……

165

《怪醫黑傑克（典藏版）》系列

作者：手塚治虫
出版社：台灣東販

學習關鍵字
醫學漫畫、倫理、科普

特色
日本經典漫畫，漫畫中可以學到醫學與做人做事的道理，還有許多人生哲理。

孩子樂讀指數
★★★★★

父母教育指數
★★★★★

內容及重點

描述一個面容恐怖、很像補丁的日本怪（密）醫黑傑克的故事，他是全世界知名的神奇醫生，有錢人會搬著一箱箱鈔票來拜託他救命，但在他對醫療費獅子大開口、看似十分冷酷又貪財的表面下，其實默默行俠仗義地救了許多窮苦病人。

故事中也描述了許多醫學上的罕見病例，內容兼具科學與情感，是日本漫畫界歷久不衰的傑作！

小熊媽的推薦理由

2105 年，我帶著三隻小熊去日本京阪神自助旅行，最重要的行程是：坐火車去寶塚，參訪手塚治虫的漫畫博物館！這趟旅程，讓小熊們對日本漫畫之神，有了深刻的記憶。

我小時候看過一部卡通，台灣翻譯為《寶馬王子》，是日本少女漫畫的始祖，而畫家就是手塚治虫。之後他也畫了《海王子》、《原子小金剛》、《三眼神童》等漫畫，但最重要的代表作，應該算《怪醫黑傑克》吧！（我那個年代翻譯為《怪醫秦博士》）

黑傑克是一個臉長得很恐怖、醫術高明但價碼超高的密醫，許多不能治的病找他就對了，但他也趁此劫富濟貧……（未必真的濟貧，劫富倒是真的）

之所以有黑傑克的故事，是因為手塚本身是醫學博士，所以書中有許多手術畫面與醫學罕病的故事，十分引人入勝；我自己在未婚時收藏了全套漫畫，兒子們去日本看過手

怪醫黑傑克
典藏版
1
手塚治虫

單元式的漫畫，畫出了一個個充
滿人性、際遇與抉擇的故事。

塚博物館後，便偷偷把我的珍藏拿出來看，然後欲罷不能！
真的是一套禁得起時間考驗的好書。

　　我最喜歡看的，是書中小女孩貝貝（新版翻譯成皮諾可）的
故事。她其實是一個未變成人的胚胎瘤，有完整的骨骼、內
臟，一直寄生在姊姊身上成長，後來黑傑克才把她取出來，
為她加上人造的身體外型，把她變成一個真實的小女孩。
（事實上按照年齡算，貝貝應該是少女了！）

　　書中的貝貝，個子小小的，頭上有個蝴蝶結，十分可
愛；她暗戀著黑傑克，把自己當成醫生太太，當起黑傑克醫
師的得力助手，又幫他打掃煮飯，但黑傑克都說：貝貝是我
可愛的女兒！兩人常因此而爭吵，但黑傑克也常解救貝貝的
危機與性命……這是書中很微妙又很人性化的描寫。

　　這部經典之作，不管是不是漫畫，深藏著既理性又感性
的故事，所以才能讓人看了時有感動！

　　漫畫即人生，好的漫畫也能鼓舞許多孩子。宮崎駿小時
候就因為很喜歡手塚的漫畫，而漸漸走上動漫卡通之路。

　　本書除了可以學到科普知識外，有更多人性黑暗面與光
明面的描述，值得國小高年級及國中生一讀。

影音延伸閱讀

日本動畫版影片
（片頭曲）

日本兵庫縣
手塚治虫紀念館

怪醫黑傑克卡通

《一個人去跑步》

作者：高木直子
出版社：大田

學習關鍵字
圖文書、運動、慢跑、
馬拉松

特色
日本知名圖文作家愛上
跑步的幽默圖文書。

孩子樂讀指數
★★★★★

父母教育指數
★★★★★

內容及重點

一本實用的幽默圖文書，可以一面看作者的經歷，一面學習如何練習馬拉松及路跑的技巧與旅途見聞。

小熊媽的推薦理由

高木直子的「一個人」系列，在台灣大受歡迎，有《一個人住》、《一個人去旅行》、《一個人搞東搞西》……這本《一個人去跑步》則是我家的閱讀排行榜冠軍，老少都愛看。

我家小熊哥升上國中以後，成為愛路跑的少年，動不動就要報名路跑，說真的，受本書影響很大。

話說我在很偶然的機會裡，拿到一本《一個人去跑步：馬拉松2年級生》（我很喜歡高木直子講日本美食的片段），沒想到小熊哥也隨手翻閱，立馬產生相見恨晚的感覺！

小熊哥常跟我去日本自助旅行，對日本的景物與美食當然也有好感，不過他更愛的，完全是運動方面的知識、馬拉松裝備的採買，與教練的指示 —— 這三點高木小姐都很細心的寫進去了。

所以同樣讀一本書，我看到的重點是美食旅遊景點（母熊本性？），孩子看到的卻是啟發他參加路跑的知識。

小熊也請爸爸讓他報名參加許多馬拉松賽，不過他的年紀還不到可以參加全馬或半馬的資格，但他還是努力練習，尤其當他升上國二以後，課業壓力變大許多，有了路跑等比賽當作激勵，才能持續運動健身，這是我最感謝這本書的地

方 —— 感謝高木直子小姐，讓孩子因此愛上慢跑運動！能夠讓孩子愛上運動的好書，怎能不推薦呢？

不過小熊提出一個問題（我也很想問）：

「高木小姐每次運動完就去當地的美食店大吃大喝、暢飲啤酒，感覺不是很健康耶！」

我想到的是：如果她想瘦身，這樣跑完就吃是減肥無望的！倒是讓本書增添不少可看性。美食人人愛看啊！呵呵！

因為這套書，我家兒子們後續也看了高木直子的《一個人去旅行》、《一個人好孝順：高木直子帶著爸媽去旅行》、《一個人住》系列、《一個人出國到處跑》……這些能吃又能玩的紀錄，的確讓我家孩子增添許多閱讀樂趣。

當然，我也偷偷地把《一個人好孝順：高木直子帶著爸媽去旅行》這本，放在書櫃中最顯眼的地方，希望兒子們可以受高木的感召，將來常常帶老媽出去旅行！（笑～）

影音延伸閱讀

見證影片：
好多人都是看了
這本書去跑步的！

高木直子的另一本插畫
書，講她小時候的事

生活札記式的彩色漫畫，
搭配照片剪貼，除了趣味
十足，更增添親切感。

《巴第市系列》

作者：施賢琴、張馨文
羅國盛、徐明洸
林伯儒、蘇大成
吳明修、何子昌
陳羿貞、王莉芳
蔡宜蓉
繪者：蔡兆倫、黃美玉
出版社：親子天下

學習關鍵字
科普圖文書、人類的身
體、醫學、百科

特色
台大醫師們聯手寫的科
普書，意外地不沉悶，
反而幽默有趣，配上可
愛到會心一笑的插畫，
讓孩子學科學又多了個
好教材！

孩子樂讀指數
★★★★★

父母教育指數
★★★★☆

內容及重點

透過淺顯、有系統的解說，將三十六則人體醫學相關的
故事，介紹給小朋友，是讓孩子進一步了解人體的入門書，
也是本土自創科普書的佳作。

小熊媽的推薦理由

高中時代，我選擇讀醫科，是因為很喜歡生物學，後來
考上台北醫學大學，但是大一下學期上生物課解剖兔子時，
看到用殘忍的方式讓兔子昏迷，並且開腸剖肚，男同學還殘
忍地把活兔子的腎臟刺出來滿教室炫耀，真讓我心生厭惡。

想到大二後，還有大體解剖課程，要認識真人的屍體，
我就打定主意，一定要轉離醫學院！後來如願轉學到台大心
理系，研究心理學方面的議題。

不過基因還是基因，我家老大與老二，從小對生物學就
有很濃厚的興趣。雖然外子在醫學院教書，也很希望兒子能
繼承衣缽，但我總是勸兒子：

人生有無限可能，要從小多思考、除了接觸生物學、醫
學，也要接觸其他各種科學、人文學科，才能知道自己真正
的興趣所在！

這一套巴第市系列，倒是很適合用來看看孩子是否有醫
學方面的興趣。書中將人體比擬為一個井然有序的城市（巴
第與英文 body 同音），以淺顯易懂的文字來介紹人體。

本書將人體器官／組織轉化為精彩的人物如下：

大腦是「市長」、五官是「雷達和塔台」、白血球是

「警察」、胃是「食物加工廠」……透過有趣的比擬與故事，讓小朋友了解人體的不同部位與其不同功用，是很好的人體學、健康學入門書。

影音延伸閱讀

巴第市的影片

回到解剖議題，最近看到有 App 可以讓孩子在網路上學習解剖青蛙，如：Frog Dissection，這款 App 讓學生不用真的動刀殺青蛙，在平板電腦上虛擬解剖即可；還可以詳細觀看青蛙內在的臟器。類似這種付費下載的 App 越來越多，也許將來大體解剖也可以如此模擬一下。對學醫有興趣的孩子，也可以試試。

這本書，除了是想要從醫或是喜歡生物科學的孩子的必讀書單之外，更是讓孩子擁有健康知識的好教材。我家老二小小熊就抱著這套書讀了好久好久。

本書很細心的為小讀者錄製了有聲 CD，可以讓孩子邊看邊聽，或純粹聽故事，是一套很值得入手的家庭科普好書！

將人體擬真成建築體，部位和功能都有種搭配剛剛好的感覺，超有創意。

《刺客列傳》與
《東周英雄傳》

作者：鄭問
出版社：大辣

學習關鍵字
歷史漫畫、水墨創新畫法、日本稱為台灣漫畫之神的作品

特色
台灣漫畫大師、亞洲至寶：鄭問經典代表作！讓日本人也驚豔的神奇作品。《刺客列傳》曾榮獲國立編譯館七十五年優良漫畫第一名。

孩子樂讀指數
★★★★★

父母教育指數
★★★★★

內容及重點

《刺客列傳》是根據漢代史學家司馬遷的《史記》改編而成。書中收集了春秋戰國著名人物：曹沫、專諸、豫讓、聶政和荊軻等五位刺客歷史事蹟。

小熊媽的推薦理由

2018 年，故宮展出了一位漫畫家的作品，這是以前從未有過的事情！就是台灣知名的漫畫界巨星：鄭問的遺作展，主題叫做〈千年一問〉。

文讀金庸、畫看鄭問，這點我覺得十分正確。在我國中的時候，我常常走路經過復興美工，當時鄭問的作品，早就已經在台灣大紅大紫了！鄭問，正是復興美工畢業的高材生，每次經過校門口，我就會想起：這位作家是如何在這裡學畫的？感覺十分的親近。

後來，鄭問拿過日本漫畫協會的優秀賞，也在香港與對岸發展過三國電玩商品，但我還是最佩服他的漫畫作品；包括《阿鼻劍》等。在這裡要推薦孩子們看的，是跟歷史有關的兩部作品：《東周英雄傳》與《刺客列傳》。

這兩套書，我是在〈千年一問〉特展時所收藏的，買回家以後十分珍惜，因為裡面實在讓人嘆為觀止！看過展覽的人應該會發現：鄭問創作用了很多不同的新媒材，甚至連塑膠袋、沙子，都會被他放到畫面裡面，因為，他想嘗試無盡的可能。

《刺客列傳》是史記裡面的故事，以前我家孩子在讀史

記小故事的時候，對於荊軻刺秦王，以及刺客豫讓的故事，印象十分深刻。但是看完鄭問的版本，更覺得難能可貴！因為那些可歌可泣的場景，在他的生花妙筆中，成了一幕幕寫實的場面。感覺好像在作夢一樣、看到了現實；而心中充滿的是對刺客們的執著與尊敬、哀嘆他們的慘烈命運。

　　在台灣學歷史，很無奈，無奈的是：歷史上有名的、可歌可泣的故事，都被刪減了許多！我想，孩子們還是可以藉由這些描述歷史的好書，了解古代曾經發生過的悲壯故事。而鄭問，是最佳的代言人！

影音延伸閱讀

紀錄電影《千年一問》
預告影片

【鄭問的英雄詩篇】專
輯 藝術很有事第 28 集

【深邃美麗的鄭問】
藝術很有事第 20 集

《佐賀的超級阿嬤》

作者：島田洋七
出版社：先覺

學習關鍵字
少年成長小說、溫馨勵志、生活智慧

特色
島田洋七將童年時在佐賀與外婆相依為命的故事寫成本書，在 2003 年接受日本最受歡迎的談話性節目《徹子的房間》專訪，真摯感人的內容在日本造成話題，熱銷超過 50 萬冊，並拍攝成電影，大受好評。

孩子樂讀指數
★★★★★

父母教育指數
★★★★

內容及重點

第二次世界大戰之後，昭廣的媽媽因養不起兒子，不得不把八歲的他交給住在佐賀縣的外祖母。戰後的他們生活雖艱困窮苦，甚至三餐不繼，但外祖母卻以獨到的生活智慧及毅力，將昭廣扶養長大。

小熊媽的推薦理由

本書是小熊在國小時，推薦我看的。內容講的是昭廣八歲那年，從廣島來到佐賀鄉下的阿嬤家，迎接他的是一棟坐落在河水和芒草間，孤獨的破爛茅屋，以及一位樂觀開朗、讓家裡隨時洋溢著笑聲與溫暖的超級阿嬤。

讓我最記憶深刻的是昭廣與阿嬤的神奇對話：

「阿嬤，我英語都不會。」

「你就在答案紙上寫『我是日本人』。」

「可是，我也不太會寫漢字。」

「那你就寫『我可以靠平假名和片假名活下去』。」

「我也討厭歷史……」

「那就在答案紙上寫『我不拘泥於過去』。」

兒子與我常常提起這一段，真是太爆笑了！ 曾經，昭廣向阿嬤說，家裡雖然貧窮，但是以後有錢就好了！可是阿嬤卻告訴昭廣：貧窮可以窮得消極，或是窮得開朗。在阿嬤心中，做個有錢人其實是很辛苦的：要吃好東西、要去旅行，實在太忙碌；連穿著好衣服都要小心不能跌倒。所以當個積極的窮人，有時比當富人好！

佐賀阿嬤這種與眾不同的阿Q精神，其實是很正面、很幽默的，我希望兒子們也能學會，更要記在心中。

我家也有兩個很棒的阿嬤，因為一個住在二樓（奶奶）、一個住在四樓（外婆），所以孩子們都稱她們為「二樓的阿嬤」、「四樓的阿嬤」。

二樓阿嬤常常會滷瓜子肉、煮中藥膳給孩子們補身體；四樓阿嬤喜歡跟孩子們下跳棋、帶他們逛街，體驗不同的東西。

所以，對孩子而言，兩位阿嬤的愛心都在他們心中留下深厚記憶；而回阿嬤家，也成為他們很期待的事情。

我總覺得，能有個超級阿嬤，是很幸福的事情，不論阿嬤「超級」在哪種領域。阿嬤，總是能帶給孫兒們許多笑聲與溫暖的回憶。

本書電影版也很好看，建議可以搭配欣賞。

Level

III

基本書單

高手書單

影音延伸閱讀

作者執導的電影版
預告片

學校教學應用示範

《手斧男孩冒險全紀錄（十萬冊紀念版）》套書

作者：蓋瑞·伯森
出版社：野人

學習關鍵字
少年冒險小說、野地求
生、荒野

特色
美國最受年輕讀者歡迎
的作家蓋瑞·伯森，最
膾炙人口的作品，暢銷
全球 2,000,000 冊、廣
獲美國各級圖書館與各
級學校教師好評、誠品
年度青少年文學類暢銷
榜 Top1、博客來暢銷
排行榜。

孩子樂讀指數
★★★★★

父母教育指數
★★★★☆

內容及重點

　　13 歲的布萊恩單獨搭小飛機前往加拿大。起飛後不久因駕駛員心臟病突發，飛機摔落在森林之中。布萊恩雖幸運地沒死，卻必須在荒野中獨自面對恐懼、飢餓、森林中的大黑熊、不知名的野獸，以及即將來臨的嚴冬。

　　媽媽送的一支小手斧，意外成為他生存下來的利器，在 54 天的荒野求生中，布萊恩徹底的改變了……

小熊媽的推薦理由

　　這本書是小熊在美國小學念書時，學校指定給中高年級生的閱讀書籍。返台後，我拿中文版給中年級的小熊看，他當時沒興趣，等到一年後我找來原文版，才瘋狂愛上此書。

　　《手斧男孩》這本書出版後，不僅榮獲美國紐伯瑞文學大獎，因內容精彩逼真，連美國國家地理雜誌都以為是真實事件，還真的聯絡作者，想採訪報導。

　　而讀者更是熱烈迴響。據說本書出版後，有上萬封想要知道更多關於書中主角故事的信件，塞爆了作者蓋瑞·伯森的信箱，讓他不得不繼續為主角寫更多的冒險故事。

　　所以，才會有接下來這一系列的後續精彩情節：《手斧男孩 2：領帶河》、《手斧男孩 3：另一種結局》、《手斧男孩 4：鹿精靈》、《手斧男孩 5：獵殺布萊恩》。

　　作者出生於美國明尼蘇達州，先後當過卡車司機、獵捕人、導演、演員、歌手、水手、工程師、農夫、教師等多采多姿的工作，目前定居森林中，專心寫作。

他至今出版近兩百本書，十多種譯本，在各國都備受青睞，他還是「美國圖書館協會最佳圖書」榮譽榜的常客；《手斧男孩》及其他兩本書都獲得美國「紐伯瑞獎」肯定。

說真的，男孩們都很愛野地求生的故事。美國的電視頻道裡關於野外求生、荒島求生的影片，十分受青少年與男性觀眾的喜愛。

我家孩子喜歡收看「野外求生祕技」的相關影片，只要YouTube 輸入「野外求生」這個關鍵字，就會有一堆影片教你如何生火、如何自製簡單濾水器……兒子們常常看得樂此不疲。

如果孩子對野外生活有興趣，一定要看看此系列書，說不一定將來去野外或露營，還可實際演練一下，十分實用。

影音延伸閱讀

手斧男孩的書籍影片

作者專訪
（英文，練聽力）

「下課花路米」介紹

求生大事記整理，讓孩子清楚的知道，在野外會面臨哪些難關？又該怎麼克服？

純天然英語教室
100天馴倒《國家地理雜誌》的得獎小說！

《英語求生 100 天》除了摘錄套書精彩段落（中英對照），還有小測驗，讓孩子測試自己有沒有野外求生的潛力。

《堅持夢想的大導演 —— 李安》

作者：譚立安
繪者：南君
出版社：小天下

學習關鍵字
傳記文學、電影、導演
李安

特色
台灣知名導演的成長故
事，十分啟發人心。

孩子樂讀指數
★★★★

父母教育指數
★★★★★

內容及重點

　　本書是介紹台灣知名導演李安的成長故事。李安自小多
病，考試兩度落榜，在美國畢業後更失業長達六年。但即使
困難重重，他仍不屈不撓，不斷超越自己，堅持自己的電影
夢。

　　2013 年，李安以《少年 Pi 的奇幻漂流》，第二次獲頒
奧斯卡金像獎的最佳導演獎。他是第一位獲頒最佳導演獎的
亞洲導演，也是第一位擁有兩次獲獎紀錄的亞洲導演；這讓
李安成為台灣的傳奇人物、尋夢的典範。

小熊媽的推薦理由

　　我家小熊哥超愛看電影！尤其是美國 Hollywood 電影。
這是他從美國回台定居後，一個能讓他與美國生活、文化有
所連結的方法。

　　每週五與週六的晚上，我都會準備爆米花與一些水果，
讓兄弟們看些好片。小熊總是期待 Movie night 的來臨。說
真的，他那熱切的態度，讓我忍不住想問他：

　　「你這麼愛看電影，是想要長大後當另一個李安嗎？」

　　所以，這本書也是我給小熊的指定讀物，因為大導演李
安，求學時期也很愛看電影。

　　我還記得李安得到奧斯卡獎時的盛況，就像書中提到
的：「台灣民眾響起熱烈的尖叫聲，好多人感動落淚，紛紛稱
呼他為『台灣之光』。當晚，象徵台灣的地標「台北 101」也
在外牆打上「李安讚、台灣讚」的跑馬燈，各家媒體更是連續

播放相關新聞好幾天⋯⋯這件事，連我家孩子都印象深刻。」

李安的故事，有一個很動人的地方，就是李安在美國有長達六年的無業狀態，這六年都是靠妻子工作養家糊口。

許多親戚朋友問李安為什麼不出去打工？應該要為了現實考量、放棄自己的興趣。李安覺得過意不去，便偷偷地去學容易找到工作的電腦課程，但是太太卻說：「學電腦的人那麼多，又不差你李安一個！」

也還好有太太的堅持，李安打消了找電腦工作的念頭，專心寫劇本與經營電影事業。在不斷努力之後，終於成為一位世界級的名導演！

李安的故事，可以讓孩子體會到兩件事情：

1. 人而無志，如船無舵；

2. 精誠所至，金石為開。

希望本書能啟發孩子，造就更多各行各業的「台灣之光」！

Level III

基本書單

高手書單

影音延伸閱讀

【台灣演義】奧斯卡導演 李安

余光中人文講座 ── 李安「我與電影」

《科幻小說之父・凡爾納 四大冒險經典》

作者：儒勒・凡爾納
出版社：野人文化

學習關鍵字
冒險、旅遊、少年漂流

特色
近代科幻小說之父的作品，充滿科學精神與獨特的想像力。

孩子樂讀指數
★★★★

父母教育指數
★★★★☆

內容及重點

四本書的內容與主題不太相同，但都是有科學根據的科幻小說，或是荒島冒險小說。作者寫作功力極佳，可引導小讀者進入科幻小說的奇妙世界！

小熊媽的推薦理由

這套書裡面我和熊董最熟的，是《環遊世界八十天》。因為多年前我們一起去欣賞敦煌的英語音樂劇，主題就是《環遊世界八十天》，故事的內容是科學家與人打賭：自己可以在八十天內把地球繞一圈！當時我和還是幼稚園大班生的熊董事長，一起去欣賞，雖然是英語，但是劇情十分有趣，讓他也看得十分開心！回家馬上找我一起共讀文本。

作者凡爾納，是現代科幻小說的重要開創者。他的大量科幻著作和特殊貢獻，被譽為「科幻小說之父」！他寫了一系列相關的歷險書，很多都改編成電影，例如：《海底兩萬里》、《環遊世界八十天》、《地心歷險記》。

這些書裡的情節在現代人看起來好像很普通，但是在當時其實是一個寫作上的創舉，因為作者將自己在法國圖書館裡學到的大量科學知識，放在文學裡，其天馬行空的想像力，讓探險小說進入了一個新的境界！

我也很鼓勵孩子看看《十五少年漂流記》，故事描述了十五名少年漂流到荒島上，然後選出了首領、發展出制度、發現新的動植物、製作工具，過著與大自然對抗的生活，兩年後，少年們終於獲救。

每本皆復刻初版原
著小說的插畫。

獨家繪製全彩
冒險地圖或紀
錄，主角到全
世界探險的路
線一覽無遺。

影音延伸閱讀

《海底兩萬里》小說成
真！美國研製出第一艘
核潛艇！

2分鐘速看
《環遊世界八十天》

　　青少年時期，正是人格發展的重要階段，藉由閱讀，鼓
勵他們勇於去冒險、願意忘記舒適圈、努力追尋自己的理
想，是十分重要的意涵。所以這套讀物被選入，有其獨特的
含意。

　　我相信凡爾納的系列，可以引發更多愛探險、愛冒險的
青少年少女，面對困難勇敢接受挑戰、勇敢去追夢！

「就是愛運動」圖像書系列

作者：松野千歌、大富
寺航、田中顯、
能田達規、岩元
健一
出版社：小熊出版

學習關鍵字
運動介紹、運動入門、
圖文解說版本、運動規
則

特色
利用漫畫故事，穿插運
動圖畫的解說，加以運
動規則說明，讓孩子能
快速理解各種運動的技
巧與意義。

孩子樂讀指數
★★★★★

父母教育指數
★★★★★

內容及重點

此套書目前包含了籃球、桌球、棒球、足球、游泳五種
運動。此外還有一個變魔術的非運動同系列作品，每一本都
畫得十分實際又有趣，讓孩子輕鬆學習。

小熊媽的推薦理由

這一套書其實我很早就收藏，不過後來因為老三熊董事
長所屬的國小足球社一起團購：《就是愛踢足球》這一本，
我才覺得：應該要把這套書加入本書的書單中，因為這套運
動圖解系列，十分值得孩子好好讀一讀。此系列包括了：
《就是愛打棒球》、《就是愛打籃球》、《就是愛打桌
球》、《就是愛踢足球》，以及《就是愛游泳》。

因為我十分鼓勵孩子參加課後社團，學校也推廣樂樂棒
球，加上我家男孩很喜歡水上活動，所以這五種運動，他們
都曾好好學過，也從中得到許多樂趣！

對這系列書最有感受的熊董事長，因為他是學校足球隊
的守門員（有時候是後衛），最愛看的當然就是：《就是愛
踢足球》，他深深認同書中所傳授的一些原理與做法。我記
得，他把足球書很仔細的看了不下數十遍！接著看《就是愛
游泳》、《就是愛打桌球》、《就是愛打棒球》……除了棒
球，其他都是有學過的運動。有一天，他忽然問我：可不可
以告訴編輯出版一本《就是愛打羽球》？因為他的好朋友加
入了羽球隊，他也想跟著好朋友：手牽手去練羽球！

說了這許多，是希望鼓勵家長：一定要讓孩子多多運

情境式漫畫引發孩子熟
悉運動比賽實際場景。

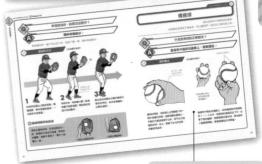

透過插畫或真人演練講
解分解動作,孩子跟著練
習就能慢慢學會技巧。

動!台灣的孩子與歐美的孩子比較起來,普遍來說體能較
弱,在戶外曬太陽運動的時間也相對比較少,去補習班和安
親班的時間則較多!其實,孩子一定要多運動多曬太陽,對
於骨骼的發展與腦力的刺激,絕對有意想不到的好處!

　　這套書除了穿插有趣的故事之外,還有許多用漫畫繪製
成的運動技巧與知識說明,還可以用來調整運動姿勢,寓教
於樂,喜歡動一動的孩子,絕對會喜歡。

影音延伸閱讀

小朋友閱讀心得

《戰爭遊戲》系列

作者：歐森・史考特・
卡德

出版社：親子天下

學習關鍵字
虛擬遊戲、少年戰士、
星際戰爭

特色

美國「世界科幻協會」
雨果獎和「美國科幻暨
奇幻作家協會」星雲獎
雙料得主、《軌跡》雜
誌票選為二十世紀最佳
科幻小說第二名；美國
亞馬遜書店科幻 / 奇幻
小說暢銷排行榜 Top
10、美國亞馬遜書店
4.5 顆星好評，三千多
名讀者推薦。

孩子樂讀指數
★★★★★

父母教育指數
★★★★

內容及重點

地球遭到外星「蟲族」襲擊。人類能否存活，仰賴一個
軍事天才：安德・威金，一位絕頂聰明的未成年小孩，他成
為大人精心栽培的殺人機器，在一次次勝利的同時，卻付出
沉重的代價。人類殲滅蟲族，其實不是表面上看到的勝利。

小熊媽的推薦理由

本書英文原名是：Ender's Game，這裡的 Game，可不
是指兒童玩的一般遊戲或電玩手遊，而是讓孩子模擬戰爭場
面的遊戲。

故事的開始，是在很多年以後，人類被外太空蟲族攻
擊，幾乎滅亡！後來有一位指揮官犧牲把蟲族的母艦毀滅，
才換來地球暫時的安寧。

因為蟲族可能會再來，所以人類想找出一些與眾不同的
作戰指揮官。由於青少年的可塑性比較高，所以他們開始訓
練青少年，作為與蟲族戰鬥的領導者。

安德的哥哥與姊姊資質都很好，都曾經入選過訓練，但
是哥哥太過於殘暴、姊姊太過心軟，所以國家希望安德的父
母再生一個孩子，來接續這個訓練；安德後來果然不負眾
望，進入了戰鬥學校後，展現高度的智慧，打擊異己，組織
的自己的小組。

他極富創意的攻擊方式，讓地球總指揮官十分滿意，決
定把整個地球的艦隊都交給他，但是他們並沒有告訴安德真
相，讓他以為是模擬戰爭的遊戲，而這個遊戲卻真的消滅了

蟲族星球！

　　安德知道真相後，良知讓他崩潰了；因為蟲族的女王曾試著與他溝通，蟲族也沒有主動攻擊地球。最後，安德帶著蟲族最後一個女王幼蟲，尋找新的星球讓蟲族可以繁衍下去。

　　這本書是美國科幻界的名著，出版以後受到讀者熱烈歡迎，又出版續集：《安德闇影》（Ender's Shadow）、《亡靈代言人》（Speaker for the Dead），《戰爭遊戲》也拍了電影版本，建議家長可以先找電影版給孩子們欣賞，因為電影版拍得十分的精彩，絕對能引起孩子閱讀文本的興趣！

影音延伸閱讀

中文電影預告

6 分鐘看完科幻電影

Level
III

基本書單

高手書單

《城南舊事（繪本版）》

作者：林海音
繪圖：關維興
出版社：格林文化

學習關鍵字
台灣作家、中國、成長
故事、林海音

特色
波隆那國際兒童書插畫
展入選、布拉迪斯國際
插畫雙年展入選、新聞
局中小學優良課外讀物
推介。

孩子樂讀指數
★★★★

父母教育指數
★★★★☆

內容及重點

本書為文壇名家：林海音女士的經典代表作品，自 1960
年出版後便暢銷不斷，在大陸也擁有不少讀者群。本書描述
台灣出生的女孩：英子，幼年時在北京生活的點點滴滴。

小熊媽的推薦理由

本書是林海音的自傳，也是一個台灣女孩移居北京後的
生活記事。

林海音的文筆，有種特別的魅力，透過主角：英子童稚
的雙眼，觀看大人世界的複雜難懂、悲歡離合；書中筆法天
真自然，卻也點出了人事的許多無奈與矛盾。

林海音在父親死後，搬回台灣，靠著自己的努力在台灣
文壇發光發熱，但是這本在北京的童年回憶錄，卻是最令人
記憶深刻的作品。

《城南舊事》在中國大陸被搬上了大銀幕，其電影版的
《城南舊事》，獲得「中國電影金雞獎」、第二屆「馬尼拉
國際電影節最佳故事片大獎金鷹獎」等多項大獎。某種程度
來說，大陸讀者對《城南舊事》一書，有另一層不同的喜愛
與感情。

兒童繪本版的《城南舊事》，是由中國知名的水彩畫家
關維興繪製，優雅詩意的風格、穿透的水彩技巧，巧妙地融
入故事情節。甫出版即獲選 1993、94 年「波隆那國際兒童
書插畫展」、1993 年「布拉迪斯國際插畫雙年展」以及
1994 年「加泰隆尼亞國際插畫雙年展」。

值得一提的是，插畫中的服飾、器物和建築，考據都十分詳實，人物也都十分傳神，讓本書讀起來更有意境、對故事感受更深。

　　書中最令人難忘的情節是〈惠安館〉的瘋女人與苦命的妞兒的描寫，以及〈驢打滾兒〉裡宋媽與她無能的丈夫的描寫；作者對底層人物的同情，真誠又不做作地呈現在日常生活的描寫中。

　　最後一章〈爸爸的花兒落了〉，也很感人，是作者父親過世的段落。父親因肺病過世，身為長女的林海音，一瞬間必須長大，不再是孩子了，此段文字看似輕描淡寫，但是卻有著深刻的感傷。

　　推薦年輕的小讀者也來體驗一下，一個在北京生活的台灣小女孩故事。

影音延伸閱讀

格林製作的繪本版
影片介紹

公視的專題報導

上海製片廠 1983 攝製
《城南舊事》

82

《追蹤師套書》

作者：湯姆‧布朗
出版社：野人文化

(學習關鍵字)
以自然為師、青少年心
靈成長、荒野求生。

(特色)
和《少年小樹之歌》
《巫士唐望的世界》並
稱印第安心靈三部曲。

(孩子樂讀指數)
★★★★☆

(父母教育指數)
★★★★★

內容及重點

這是一個阿帕契印第安老人：潛近狼，如何在紐澤西州
的森林中教導白人小孩印第安生命智慧並繼承他的衣缽的真
實故事。

小熊媽的推薦理由

我對《追蹤師》這套書最早的印象，來自一位荒野保護
協會的好友。當時，我們組了一個媽媽讀書會，每月一次定
期分享最近看到的好書，這位朋友很興奮地告訴大家：她在
荒野保護協會看到這套書，很仔細地看完書後，感觸很深
刻！因為荒野保護協會的成立宗旨，與《追蹤師》書中所描
述的中心思想，十分吻合。

其實，改版之前推薦的是《少年小樹之歌》，但因為版
權轉移問題，所以換成《追蹤師》這套書，因為這兩本書與
《巫士唐望的世界》，並稱印第安心靈三部曲。

美國印第安酋長西雅圖有一篇著名的聲明，其中提到：

「你怎麼能買賣天空？買賣大地呢？這種概念我們不懂。
我們並不擁有空氣的清新，也不擁有水波的美麗。難道只憑我
們簽一張契約，你們就能對土地為所欲為？」

當年受到壓迫的印第安人，世人開始慢慢了解了他們的
心聲。印第安人崇尚尊重自然、與大地和諧相處的精神，
《追蹤師》字裡行間處處可見。

15+13 則真實故事，讓孩子聆聽祖父的教導，和湯姆一起成長。

Level

III

基本書單

高手書單

追蹤師學校學什麼？搭落葉小屋、生火、潛行、追蹤……

　　追蹤師，並不是一個工作，在印第安阿帕契族群中，是斥候的角色。為了追蹤敵人或是獵捕獵物，都需要學會觀察與耐性訓練，並對大自然有深刻了解。野外求生能力是基本功課，而人與自然「天人合一」是最終目標。當孩子在閱讀這一篇篇真實故事的同時，跟著主角一起面對迷惘、恐懼、愛情、死亡、悲傷等人生課題，以及該如何跟自己相處的智慧哲理。

　　現今社會，人們一味的追求物質與文明發展、破壞了大自然，造成生物與生態浩劫，卻因為 2020 年新冠疫情而開始有所反省，因疫情而暫緩開發、封閉時，地球反而得到了一些喘息！所以有人說：地球上最大的病毒，其實是人類。

　　然而，並不是所有的人種都熱中於掠奪、與自然為敵，許多地方的原住民知道如何與大自然和平共處，同時尊重大自然的可敬可畏。本書的美國阿帕契印第安人、與台灣許多原住民，都有類似的概念。

　　希望孩子們在閱讀此套書的時候，也能夠重新以大自然為師，保持謙遜的精神、守護美麗的地球。

影音延伸閱讀

追蹤師學校
Tracker School

追蹤師學校・斥候課程

《時間的皺摺》系列

作者：麥德琳·蘭歌
譯者：謝佩妏
出版社：博識圖書

學習關鍵字
少年科幻小說、時空之
旅、超自然

特色
紐伯瑞金牌獎、《學校
圖書館期刊》讀者票選
「史上百大兒童小說」
第二名，超越《哈利波
特》、亞馬遜網路書店
編輯評選「一生必讀
100 本書」、美國國家
教育協會網路票選為
「教師的百大童書」。

孩子樂讀指數
★★★★

父母教育指數
★★★★

內容及重點

梅格、查爾斯和凱爾文這三個主角，為了解謎去拜訪啥
太太，結果奇特的人與事接連出現，三人展開一場奇妙的跨
時空旅程。

小熊媽的推薦理由

《時間的皺摺》為美國青少年奇幻小說經典「時光五部
曲」的第一冊。作者麥德琳·蘭歌，出生於美國，她的著作
有 60 幾部，最受歡迎、最有名的，就是這套「時光五部
曲」的第一本：《時間的皺摺》，本書出版於 1962 年，曾
榮獲 1963 年的紐伯瑞金牌獎的殊榮。

「時光五部曲」以其遼闊的想像、深刻的寓意與詩意的
美感，在兒童文學史上樹立不朽地位。這系列的每冊故事都
是獨立的，可個別閱讀。

在《時間的皺摺》中，書中主角梅格因為要拯救爸爸，
與查爾斯姊弟、凱爾文等夥伴，隨著奇特的老婆婆，展開神
奇的超時空旅行……作者描繪的異世界場景生動自然，讓人
十分驚豔。

「時光五部曲」，目前在台灣有三部上市，除了在此推
薦的《時間的皺摺》外，其他兩本故事如下：

《銀河的裂縫》：弟弟查爾斯在菜園裡看到一大群龍，
不久後他就病倒了。梅格發現，那些「龍」其實不是龍，而
是身上有翅膀和眼睛，會飛會噴火的天使……

《傾斜的星球》：十五歲的查爾斯已經長大了，他有一

個神奇的任務，必須在二十四小時之內完成，不然南美洲獨裁者就會發動核武戰爭，毀滅全世界！

喔，不能說太多，還是讓孩子自己去讀一讀吧！

讓我印象最深刻的，是作者在書中曾說過：

「有些事就算妳不了解，也不代表它們不存在。」

真是十分有哲理的一段話。此外，我也很喜歡作者的得獎感言：

「一本書也可以是一顆星星，一種爆裂物，能不停激發新的生命，一把照亮黑夜的熊熊火把，指引我們走向不斷擴大的宇宙。」

相信本書，能指引更多孩子走向更廣大的世界！

影音延伸閱讀

改編為電影版的
預告片

美國的本書介紹片

Level
III

基本書單

高手書單

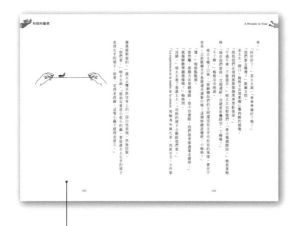

書中有時會利用簡單插畫，
解釋時間「皺褶」的概念。

《少年讀史記》系列

作者：張嘉驊
繪者：鄭慧荷
出版社：未來出版

學習關鍵字
歷史、史記、司馬遷、
春秋戰國、列傳

特色
讓現代孩子能以讀故事
的方式，提早了解史記
的歷史世界。

孩子樂讀指數
★★★★

父母教育指數
★★★★★

內容及重點

　　共有五冊，精選《史記》的人物故事加以編寫，主要根據《史記》的「本紀」、「世家」、「列傳」三部分所改寫。內容簡單易懂，是一套適合國小高年級及國中生進入《史記》的入門書。

小熊媽的推薦理由

　　《史記》一開始稱為《太史公書》，是西漢太史令司馬遷編的歷史典籍。記載了自黃帝至漢武帝太初年間共三千多年的歷史。全書包括本紀 12 卷、世家 30 卷、列傳 70 卷、表 10 卷、書 8 卷，共 130 篇。

　　為何要讀本書？因為《史記》對後世史學和文學的發展都產生了深遠影響。其首創的紀傳體編史方法，為後來歷代「正史」所傳承。同時，《史記》還被認為是一部優秀的文學著作，在中國文學史上有重要地位。

　　《史記》被公認為是中國史書的典範，余秋雨在《何謂文化》一書中指出：

　　「《史記》，應讀名篇甚多，如〈項羽本紀〉、〈遊俠列傳〉、〈屈原賈生列傳〉、〈刺客列傳〉、〈李將軍列傳〉、〈魏公子列傳〉、〈淮陰侯列傳〉、〈貨殖列傳〉等篇，包括〈太史公自序〉。」

　　司馬遷是中國首席歷史學家，又是中國敘事文學第一巨匠，讀他的書，兼得歷史、文學、人格，孩子將收穫非凡。

　　本套書的特色，在於作者張嘉驊用現代文學手法，描述

《史記》人物的心理、作為，內容以淺喻深，適合現代孩子的閱讀口味。

　　本套書也加上文學、史學、哲學、心理學、管理學等知識來解說人物故事，並附上語譯、注釋，對孩子上國中後的國語文能力提升，絕對大有助益。

　　我常告訴小熊，為何要讀歷史呢？因為歷史常常是會一再重複的事情！

　　人性的弱點自古以來不斷上演，如能鑑往知來，不犯前人的過錯，才能趨吉避凶。

　　我個人很喜歡第二冊，講了許多世家的故事，其中一段講「趙氏孤兒」，也是京劇中知名的戲碼；原本我家孩子就對這故事的名稱很好奇，看了本書後，終於了解這可歌可泣的忠義故事了！

　　平庸之人不讀史，所以記不住歷史的教訓，唯有多讀史書，才能多多學到古人的智慧與教訓。

影音延伸閱讀

讀歷史到底有什麼用？台大呂世浩老師解說

學歷史的大用：
台大呂世浩老師 at
TEDxTaipei

台大呂世浩老師講
《史記》

Level
III

基本書單

高手書單

雙色版畫式的插圖，
有別於一般傳統國畫
式插圖，別具特色。

《理想國四部曲》套書

作者：露薏絲·勞瑞
譯者：鄭榮珍·朱恩伶
出版社：台灣東方

學習關鍵字
青少年小說、科幻小說、冒險、成長

特色
獲 1993 年美國角書－環球報兒童文學銀牌獎。1994 年美國紐伯瑞兒童文學金牌獎、美國中學必讀書目。

孩子樂讀指數
★★★★☆

父母教育指數
★★★★★

內容及重點

共四本，描述一個看似理想的人類社會制度，背後卻是不尊重、威權、菁英思維。雖有理想，人性的善良與和平，又該如何兼顧？

小熊媽的推薦理由

這是一套十分精彩的少年成長小說，也是科幻小說的傑作；作者是兩度獲得紐伯瑞兒童文學金牌獎的露薏絲·勞瑞，此書一推出即獲紐伯瑞兒童文學金牌獎！

本套書常被美國小學、中學老師選入為必讀書目，在全球已翻譯成 28 種文字、獲得 35 個獎項、全球銷售量更早已超過 10,000,000 冊之多。

2014 年《記憶傳承人》有改編成電影上映。四本書的簡要介紹如下：

《記憶傳承人》：少年喬納思，驚喜的成為社區中唯一的「記憶傳承人」，因為他有異於常人的「超眼界」能力；他開始享有許多特權，但是也體驗到令他難以承受的受訓經歷；喬納思終於發現社區的虛偽與冷血，決定逃離。

《歷史刺繡人》：綺拉有一條腿天生殘疾，父母親接連過世，她的家受到村人覬覦，被陷害可能喪命。幸運的是，她因擁有刺繡的天賦而救了自己，轉而擔任禮服刺繡人，不過也因此陷入可怕陰謀。

《森林送信人》：一個森林中和平的村子，它接受任何人進來住，但前提是：必須先通過森林的考驗！麥迪就是其

中一人，但後來因人心變腐敗，小村莊也變質了，森林不再翠綠⋯⋯

《我兒佳比》：克萊兒的工作是孕母，十四歲時生下一名嬰兒佳比，本應忘記親情的她得知兒子被「記憶傳承人」喬納思帶走，便展開困難重重的尋兒之旅⋯⋯

本系列的高潮是，第四本《我兒佳比》讓記憶傳承人喬納思、歷史刺繡人綺拉，以及象徵新生的佳比，全在此書集合，形成一個超展開的大結局。

《理想國四部曲》系列，探討許多人性的矛盾，對成長中的少年少女，有許多啟發。書中平和的柏拉圖式生活，其實隱藏著許多冷酷與冷血，讓孩子藉此反思：真正的大同世界，該用不擇手段來達成嗎？

我家的小熊哥在小學時曾讀過《記憶傳承人》中文版，但不能有所體會，並沒有很大的興趣。等到他升上八年級（國二）後，重讀英文原文，卻十分感動！他不但一口氣把四本英文書在一週內讀完，也把電影版看完。

小熊除了很喜歡本套書，也很喜愛原著電影的配樂，片中有名的 Rosemary's Piano Theme，成為他國中時期隨身MP3 的必備音樂；感謝作者，這套書讓他的青少年成長路，豐富許多！

影音延伸閱讀

《記憶傳承人》
電影預告片

介紹《記憶傳承人》電影，七件你該知道的事
（英文，練聽力）

《記憶傳承人》
最有名的配樂片段：
Rosemary's Piano
Theme

《優秀是教出來的》

作者：隆‧克拉克
出版社：雅言文化

學習關鍵字
美國班級守則、生活教養、55條班規

特色
美國暢銷百萬冊的老師教育理念書。

孩子樂讀指數
★★★★

父母教育指數
★★★★★

內容及重點

作者隆‧克拉克是「全美最佳教師獎」得主，本書是他的成名之作，一本寫給所有美國家長、中小學生、教育工作者的五十五條生活與行為準則。本書不但在美國引起話題，也在全世界廣為討論。

小熊媽的推薦理由

作者隆‧克拉克老師在美國南方長大。由於我曾在美國南方住過，那是一個很講究生活教養的地方；本書的「超基本五十五條」，是作者從小被祖母再三叮嚀的做人規矩，以及他本人從事教育的體驗。

本書在美國出版後，一時洛陽紙貴，許多教育工作者和家長都覺得心有戚戚焉。作者被邀請到處演講，連大學的教育系所都爭相邀請，本書也在全世界得到許多讚譽。

我在美國教書時，開車途中常聽這本的有聲書，（而且是作者本人朗讀的！）小熊哥小學時看過本書，我也在老二五年級時指定他讀，本來以為他會反抗（老二小五就青春期來臨，脾氣很不穩），沒想到他很有興趣，一個晚上就看完了。還笑著說：「很有趣，不過……要守的規則也太多了吧！」

我家牆壁的座右銘布告欄，這五十五條時常會出現，提醒孩子該注意的事情。

本書是很值得一讀的好書，不論家長或孩子都該讀讀。我個人很欣賞以下幾條法則，也常用來提醒兒子們：

【超基本3】別人有好表現，要替他高興；

➔小熊媽分享：人很難避免忌妒心，但是要試著見賢思齊。

【超基本 5】自己有什麼好表現，不要炫耀，輸給別人也不要生氣；

→小熊媽分享：驕兵必敗；謙受益，滿招損。要保持運動家精神。

【超基本 8】不可以有不禮貌的小動作；

→小熊媽分享：任何不禮貌的小事都不要去做，做一次，就被人看輕了。

【超基本 9】別人送你任何東西，都要說謝謝；

→小熊媽分享：這條與第十條：收到獎品和禮物，不可以嫌棄，其實有異曲同工的意義。這也是現代孩子常犯的錯誤。

【超基本 30】吃完飯，自己的垃圾自己處理；

→小熊媽分享：這是基本的用餐禮儀，但是我發覺現代孩子越來越不在意。

【超基本 36】進門時，如果後面還有人，請幫他扶住門；

→小熊媽分享：這點也是基本禮貌，我都會請孩子注意後面的人，而不是放手讓門打到別人鼻子上！

影音延伸閱讀

【超基本 49】自己的理想自己要堅持；

→小熊媽分享：四十九以下幾條都是關於理想與品德；我鼓勵孩子：要當一個有理想的人，更要能堅持下去！

【超基本 50】要樂觀，要享受人生；

→小熊媽分享：我家有個孩子比較悲觀主義，所以我常勸勉他：要樂觀，凡事往好處想！

　　這五十五條法則，我推薦所有小學高年級的孩子都該看一看，國中生更是如此。

法鼓文理學院的
本書介紹

作者本人的專訪
（英文）

右側邊欄：

Level III

基本書單

高手書單

《週期表上的魔術師：
92個化學元素變變變》

作者：阿德里安·丁格爾

繪者：艾文·夏
出版社：親子天下

學習關鍵字
科普、化學、週期表

特色
榮獲 2011 年倫敦「學校圖書館協會優秀圖書獎」、2012 年奧地利少年圖書「科學研究學術著作獎」。

孩子樂讀指數
★★★★★

父母教育指數
★★★★

內容及重點

本書以幽默有趣的解說和生動的圖像，讓孩子了解：元素是如何組成宇宙萬物。其實，我們每天接觸到的所有東西，都是由元素所組成，而且這些元素有一定的規律與關聯，本書就能說明其中奧祕。

小熊媽的推薦理由

這也是本奇書，讓我家老二小小熊在四年級時就抱著猛讀。

記得他四年級升五年級的暑假，連我帶他去台北市兒童新樂園搭摩天輪，在排隊時，他都緊緊抱著本書、愛不釋手。五年級的他，也不時拿出來看得很開心，到最後連馬桶前面都要貼一張週期表，好打發解手的時間。

我不禁疑惑：想當年我們學元素週期表，可是背得苦哈哈，怎麼這本書讓兒子這麼愛它呢？

作者阿德里安·丁格爾，是美國一位化學老師，也是深受青少年喜愛的暢銷書《超可愛元素週期表》（The Period Table-Elements with style!）的作者；他的線上化學課程，擁有成千上萬的粉絲！

提到化學元素，大家總是想起那學生時代共同的痛苦回憶（包括我）——多行排列的元素週期表。老實說，背誦那些無聊透頂的元素，加上痛苦的升學考試，讓有些人在國中的時候就開始討厭化學。

但是週期表裡面這些元素，其實不只是在紙上要背的東

西，更是組成宇宙萬物的原料。全宇宙的所有物質，不過就是從這 92 種元素組合而成的。

　　光是知道這一點，就該讓人興奮不已！因為本書介紹的是宇宙萬物的根源。

　　最近與兒子討論：哪個物質密度最大？我說是「金」，結果兩個兒子馬上拿出各自的週期表，仔細查了以後告訴我：是「鋨」！老大國中理化課有教，老二國小則是看了這本書受到啟發；兩人同時找到，真有意思。

　　書中用豐富趣味的文字、鮮麗的畫面，帶領孩子認識宇宙萬物與日常生活周邊的種種事物，從太陽到地球；從火山到大海；從肥皂到玻璃；從電腦到溫度計。以元素的觀點，重新檢視我們以往熟悉的事物。

　　這是一本讓孩子愛上元素週期表的超酷指南，同時也是很適合中、小學生搞懂週期表的科學入門書。

影音延伸閱讀

週期表的神奇功用
（練英文的好影片！）

介紹週期表的英語課程，有中文字幕

《所羅門王的指環》

作者：勞倫茲
譯者：游復熙、季光容
出版社：天下文化

(學習關鍵字)
科普書、勞倫茲、動物
行為學、印痕

(特色)
動物行為學開山祖師的
科普文學巨作。

(孩子樂讀指數)
★★★★

(父母教育指數)
★★★★★

內容及重點

動物行為學家勞倫茲記錄他養的動物與其互動的趣事，
妙筆生花，十分精彩有趣。

小熊媽的推薦理由

高中時學生物學，我就對作者發現的「印痕」（Imprinting，
或稱「銘印」）很有興趣：某些生物出生以後，會緊緊跟著牠
第一眼見到的、較大的、可移動的物體。

「印痕」作用通常發生在某個關鍵時期（如出生後很短的時
間），而且一旦發生後就很難改變。根據勞倫茲的觀察：生
物出生後，第一眼看到的通常是母親，所以這種行為可以保
護幼年生物不會認錯牠們的母親，並得到母親的保護。

本書就記載了勞倫茲與雁鵝「瑪蒂達」的印痕故事：瑪
蒂達從蛋殼裡出生後，第一眼看到的是作者，作者也跟牠以
叫聲互動，所以瑪蒂達把作者當作是自己的母親，到哪裡都
緊緊跟隨，一看不到勞倫茲便發出悲慘的、被遺棄的叫聲；
這段故事作者寫得引人入勝，讓人讀過十分難忘。

我想，為何當年我會選第三類組（醫農，加考生物學），可
能也是受到本書的感召吧！

介紹一下本書作者：勞倫茲（Konrad Lorenz），他是動物
行為學的開山祖師，也是諾貝爾生理醫學獎得主。

除了學術成就之外，勞倫茲最為人稱道的，是他向一般
大眾描述動物行為的生花妙筆。他家裡養了許多動物，常以
自我解嘲的口吻述說他與動物共處的「慘痛」遭遇，同時也

為我們報導了動物的許多不同習性和行為模式。

　　《所羅門王的指環》是他的第一本通俗科學作品，流傳最久，也最膾炙人口。除了本書之外，也要推薦另一本著作《雁鵝與勞倫茲》，是勞倫茲去世前寫的最後一本書，也是勞倫茲一生研究工作的縮影。我收藏了一本，十分好看。

　　勞倫茲曾說過自己為何會寫通俗科學書：

　　「如果我這一生當中曾經因為憤怒而做出什麼事，純是由於看不慣這些動物書籍的胡扯。

　　「我為什麼生氣？因為有這麼多糟透了的、虛假不實的動物學著作，這樣的書到處都買得到；因為有這麼多欺世盜名的作家，裝出一副非常內行的樣子，其實對動物根本就一無所知……」

　　還好大師寫下這些書，真的很精彩！如果家中有對生物與動物有興趣的大孩子，推薦一定要讀讀這本超經典之作。

Level

III

基本書單

高手書單

影音延伸閱讀

關於印痕的中文解說
影片

作者勞倫茲的珍貴影片
與照片紀錄

實驗：雁鵝與勞倫茲
（英文）

所羅門王的指環
——與蟲魚鳥獸親密對話

《野林三部曲》系列

作者：科林‧麥洛依
繪者：卡森‧艾利思
出版社：博識圖書

學習關鍵字

奇幻小說、少年成長小說、冒險、手足情感

特色

亞馬遜書店罕見超高五星評價、美國圖書館協會「十大最佳首作小說」、美國兒童書商協會「最佳新銳童書」、《紐約時報》排行榜暢銷書、美國插畫家協會「童書原畫銀牌獎」。

孩子樂讀指數

★★★★

父母教育指數

★★★★

內容及重點

人類少女普汝為了救弟弟，與朋友科提斯闖入野林禁區，卻發現裡面別有世界，一個不屬於人類的神奇世界……

小熊媽的推薦理由

說實話，這本小說一開始的情節，讓我覺得有點荒誕：烏鴉為何會集體綁架一個一歲多的小男嬰？也許就是因為這荒誕，讓人更好奇地想知道小男孩的命運。繼續看下去，才發現一切都有了合理的解釋。

故事繞著少女主角普汝與她的同學柯提斯，分為兩個主軸交互進行。兩人都是正常世界（人類世界）的人，但血緣卻與異世界（野林）有所牽連。在冒險搶救小男嬰（普汝的弟弟）的旅程中，柯提斯得到了自信，漸漸獨當一面，最後他選擇留在異世界，不再回到人類世界。而女主角普汝則是千辛萬苦地救回弟弟，回歸原生家庭。

本系列共有三本，介紹如下：

《野林守護戰》：女主角少女普汝，還是嬰兒的弟弟竟然被一群烏鴉綁架，飛到城市邊緣的茂密森林裡；那是一個從來沒人進去過的「無法通行的荒野」。普汝偷偷想去救弟弟，同學科提斯也跟她一起同行。他們發現這是個受魔法保護、名為「野林」的國度，驚奇的事情接二連三發生……

《野林地下城》：繼上一集的結尾，女主角普汝離開野林好幾個月，心中無法放下野林，野林也彷彿在召喚著她回去。在單調的生活中，一場針對她而來的暗殺行動正悄悄進

行……

《野林繼承者》：本集中女主角普汝變成了革命偶像，回到南林，追查另一個匠師的下落。但南林局勢混亂，還出現一個詭異的宗教團體。科提斯與朋友都不知身在何方，普汝孤軍奮戰，離目標愈來愈遠……

少年成長小說，就是讓即將成為大人的孩子，提前體驗社會的複雜與危險，得到成長的勇氣與冒險的動力。本書是一個很好的典範，不但兩位主角都經歷了成長的苦難、驚險的體驗，更有勇氣後的獎賞。

本書系另一個特色，是在書中把人物描繪得栩栩如生！如美艷卻走邪路的前總督夫人、無能的新任總督、鳥族的儲君角鴞、野林強盜大王布蘭登……都讓人十分印象深刻。值得一提的是，本書的插畫也十分好看，由作者的妻子所繪製，有畫龍點睛的效果。

推薦這本讓人想一口氣看到最後結局的精彩小說，給家有青少年的父母。

影音延伸閱讀

由作者妻子所畫的可愛插圖，讓故事更引人入勝。

國外出版社的本書
介紹短片

作者夫婦的訪談
（英文有中文字幕）

小木馬世界文學系列

作者：不同作者
出版社：木馬文化

學習關鍵字
兒童文學、經典小說、
簡化版本

特色
將古典文學改編成兒童
可以讀的簡化版本，但
不失原著真義。

孩子樂讀指數
★★★★

父母教育指數
★★★★✩

內容及重點

此套書榮獲日本圖書館協會、日本兒童圖書出版協會、日本全國學校圖書館協議會共同推薦優良讀物！由日本兒童文學名家，以生動活潑的現代語言為兒童編譯改寫。

系列的開本特色在於易於攜帶、翻閱，字體適中。出門隨身帶一本，是旅遊的好夥伴！

小熊媽的推薦理由

前文我曾推薦小熊出版的《經典圖像文學小說》系列，我家男孩看完那些圖像漫畫後，接下來就是看這一套小木馬改編的兒童文學名著系列，包括了：《頑童歷險記》、《希臘神話》、《悲慘世界》、《偵探福爾摩斯》、《唐吉軻德》、《莎士比亞故事精選集》、《小婦人》等。

這一套小說並不是圖文書或橋梁書，而是純文字小說，但是它的特色在於：經過改編，讓孩子讀起來並不會覺得那麼的辛苦；不是長篇巨著，而是輕鬆讀的小品。

可能有人會說：既然要讀文學作品、就應該閱讀原著、不要讀改編過的作品！不過，大部頭原著小說對剛接觸文學世界的孩子來說，是有難度的，因為這些名著畢竟年代久遠，原文的用字遣詞，有些並無跟隨時代而改變；對孩子來說，不是那麼容易閱讀。

通常我在鼓勵孩子讀古典文學的時候，都會選比較淺顯的版本，先讓他們入門，有興趣以後，再找難一點的（中級）的版本；最後才會讓他們讀原著小說。小木馬文學系列

就是很好的入門文學作品。

　　我同時建議家長：可以根據書目，搭配一些電影、音樂劇讓孩子欣賞，像我家孩子在弦樂團有拉過《悲慘世界》的電影配樂，我就找機會把《悲慘世界》的音樂劇、電影給孩子們看；最後搭配這套書裡面的《悲慘世界》一書、放在孩子的閱讀角。通常他們都會主動翻閱，還很開心！

　　我覺得做家長可多用一些心思，讓孩子覺得：文學也有多元的面向，可以聽音樂、可以看電影，最後搭配小說，一切水到渠成。

　　我家男孩喜歡看偵探小說，他們也都是由當代的輕偵探小說開始，後來才進入福爾摩斯與亞森・羅蘋的世界。這套書也有貢獻：我先讓他們欣賞福爾摩斯的影集，然後配上本系列中的《偵探福爾摩斯》入門小說，他們就對全套的原著小說更有興趣了！

影音延伸閱讀

悲慘世界音樂會

電影 vs. 影集──福爾摩斯大 PK

Level III

基本書單

高手書單

欣賞彩色插畫，更能感受故事氛圍。

故事場景地圖，幫助孩子建構小說的空間想像。

《水滸傳》
兩種閱讀版本建議

作者：施耐庵（元朝）
出版社：時報、聚光文創

學習關鍵字
中國古典小說、綠林好漢、施耐庵

特色
被公認為中國古典四大文學名著之一，六才子書之一。

孩子樂讀指數
★★★★

父母教育指數
★★★★

內容及重點

北宋末年，四海豪傑聚集山東梁山泊，反抗腐敗政治，後又為國效力；以宋江、晁蓋為首的 108 位好漢的故事，讓《水滸傳》成為家喻戶曉的經典。

小熊媽的推薦理由

這套書要讀完，也需要累積一定的閱讀功力。我家老二是在讀完《三國演義》之後，對古典文學興趣大增，接著打鐵趁熱繼續讀這本，時間大約是國小四年級到五年級。他對此書很有興趣，會不斷反覆閱讀。

關於版本閱讀順序，他先讀時報出版的傅錫壬改編版，接下來就直接讀世一出的原文版了。不過世一的版本目前絕版，改為推薦閱讀聚光文創出版的吳淡如版本。此版本由吳淡如全新改寫、保留原著中江湖好漢的精髓；再由蕭青陽老師做美編設計，全書改編的鮮明有趣，融合古典與現代之美，值得一讀。

時報版

時報的改編版文字密度比較鬆，閱讀壓力較小。

聚光文創版

Level
III

基本書單

高手書單

　　《水滸傳》被列為中國古典四大文學名著，揭露了官逼民反、鋤強扶弱的故事，同時傳達反抗暴政、「替天行道」的精神。

　　評論家指出：《三國演義》的強項，在於對政治和戰爭場面的描寫，《水滸傳》則是著重於人物的刻畫。作者施耐庵透過人物的言語、行為，來表現人心中矛盾的內心世界，故事出現的人物眾多，對話傳神，善於以對比手法來展現人物的性格，如：宋江、林沖、武松、魯智深、李逵等，每一個人物都有鮮明的個性，讓讀者讀後不會混淆，而且難以忘懷，這是本書最成功的地方。

　　在以前缺乏大眾娛樂活動、電視、手機的年代，《水滸傳》與《三國演義》等通俗小說，往往透過民間藝人，以戲曲曲藝的形式呈現，成為普通民眾僅有的文化活動。其中「魯智深倒拔垂楊柳」、「武松打虎」等，都是流傳後世、被百姓一直津津樂道的故事。

　　《水滸傳》一書傳達了以下觀念：

　　1. 輕生死重義氣； 2. 敢作敢為； 3. 劫富濟貧。

　　在現代閱讀本書，能拓展孩子不同的眼界、啟發不同的價值觀。

　　中國大陸在 2011 年曾推出《新水滸傳》的電視劇版，口碑很不錯，也比較容易懂，若孩子對原文書籍尚不能接受，可以先找電視劇來欣賞，當作孩子入門《水滸傳》的敲門磚。

影音延伸閱讀

《水滸傳》電視劇

電視劇《新水滸傳》
片頭曲

《最後 14 堂星期二的課》

作者：米奇·艾爾邦
出版社：大塊

學習關鍵字
生命教育、漸凍人、死
亡、寬恕、愛

特色
中文版銷售超過六十萬
冊，全球銷售超過一千
萬冊。

孩子樂讀指數
★★★★

父母教育指數
★★★★★

內容及重點

本書是作者老師墨瑞將要離世前，與作者 14 次見面並
留下許多智慧話語的紀錄。

小熊媽的推薦理由

這本書絕對是給孩子生命教育的最好教材。

三年前，我父親過世時，給孩子帶來很大的衝擊 —— 死
亡對生命其實是有啟發性的，但是哀傷會先讓人難以承受。
那年在醫院，老父親斷氣的那一刻，老二的眼淚最多、哭聲
最悲。

如今他已升上高年級，應該可以慢慢看懂這本書了，我
在他升小六的暑假，每天朗讀一些給他聽。

書中的老教授墨瑞·史瓦茲（Morrie Schwartz）罹患一種名
叫「葛雷克氏症」（ALS）的病，也就是所謂的漸凍人，跟著
名物理學家霍金罹患相同的疾病。它會令患者肌肉由下至上
逐漸萎縮，最後像靈魂被封印在軀殼內一樣，全身都不能
動，但神智依然清醒。

作者在墨瑞最後的三個多月裡，每星期二便會到他家去
討論人生的疑惑與難題，包括了：死亡與活著、寬恕、愛、
婚姻、家庭等。作者更從中體會到：原來自己所追求的名
利，並不那麼重要；愛，其實更可貴。

本書傳達了重要理念：每個人都知道會有死亡，但沒有
人認真去思考「自己會死」這件事。中國人說的好：不見棺
材不掉淚！人總要真正遇到死亡，不論是親友的死、還是自

己生命出現危機，才會開始珍惜生命，但有時已經太遲了！

　　根據墨瑞的說法：當人們回顧一生，如何算是活得有意義呢？如果能多去愛人、多在居住的社區付出貢獻、創造一些有意義的東西，就是有意義了！生命中最重要的事情，就是學習付出愛、接受愛。

　　本書因為深具故事性與教育意義，曾被拍成電影，台灣也將之改編為舞台劇：由果陀劇場楊世彭導演、金士傑飾演老教授墨瑞、卜學亮飾演米奇，自 2011 年起於台灣、大陸等地演出，廣受好評。

　　關於閱讀的版本：我家老大是約六年級讀的，由於他在美國長大，所以讀的是英文版；若孩子的英語基礎不錯，建議找原文書來看。不會太厚，國、高中生也適讀。

影音延伸閱讀

電影版預告片

書中的老教授接受美國
夜線專訪（本人過世前）

《空想科學讀本》系列

作者：柳田理科雄
出版社：遠流

學習關鍵字
科普書、動漫評論、幽默、妙問妙答

特色
日本很受歡迎的有趣科學教材

孩子樂讀指數
★★★★★

父母教育指數
★★★★

內容及重點

來自日本動漫、電影、童話寓言等各領域的稀奇古怪的妙問題，由作者柳田老師一一以科學觀點回答。

小熊媽的推薦理由

我是在很偶然的機會，拿到這系列的其中一本書，結果我家老二竟像被電到般，一面讀，一面喃喃自語＋狂笑！

同時，他還會跑過來問我：

「聖誕老人如何在 36 小時內送完 18 億份禮物？」

「名偵探柯南竟然在一年內碰上 148 件凶殺案？」

「企圖征服地球的外星人為何全都找上日本？」

「被蜘蛛咬到而變成蜘蛛人有可能嗎？」

我哪知道答案！但是作者就有辦法用科學方法一一分析解答為何，讓人想起立致敬！

這一系列的書，都是有問有答，而問題很妙，都是來自動漫、電影、童話寓言等各領域的挑戰，又奇、又怪、又難、又扯，作者柳田老師還真的都回答了！

作者柳田理科雄，1961 年生於鹿兒島縣，從小便立志成為科學家，後就讀東京大學，順利成為理科生。網路上流傳很多作者親自解說科學的影片，十分受歡迎；更因此系列套書一炮而紅，成為科普暢銷書作家。「理科雄」不是筆名，而是真的名字，是因為作者父親認為「今後是科學的時代」而取名。

2016 年暑假前，遠流又推出《空想科學輕讀本》，更簡

單易懂，適合國小中高年級閱讀。家有喜歡科普書與動漫作品的孩子，建議找齊全系列讀讀。

　　一開始曾提過：每次我家孩子念此系列書時，總是會忍不住抬頭狂笑！老實說因為在家中發生太多次，我忍不住懷疑：這本書真有那麼有趣嗎？也才認真研究起書中的科學解釋，是否真有其道理。

　　結果，最大的感想是：柳田老師竟然能一本正經地回答漫畫與卡通的荒謬、無厘頭事件，還用科學計算當佐證，真是佩服這種一絲不苟的精神！也許本書的問題，每個都看似荒唐好笑，但是問題背後的科學知識、作者驗證解答時實事求是的態度，都值得孩子好好學習與體會呢！

 影音延伸閱讀

空想科學研究所
KUSOLAB（日文）

作者分析：
耶誕老人如何在一天內
送完禮物？（日文）

《最美的國文課：唐詩 × 宋詞》

作者：夏昆
出版社：野人文化

學習關鍵字
唐詩、宋詞

特色
中國詩詞大會「金牌擂主」夏昆老師，串聯現代音樂、電影、哲學，跨界解說唐詩與宋詞。

孩子樂讀指數
★★★★★

父母教育指數
★★★★★

內容及重點

唐詩部分選錄了唐朝重量級詩人、與超過一百首課本必收唐詩，將初唐、盛唐、中唐到晚唐，四十位知名的詩人，並為每個詩人總結一句最切合生平際遇的說明。

宋詞，則是將二十五位風格迥異的詞人，並為每位詞人總結最切合性格特質的介紹。

小熊媽的推薦理由

這兩本最美的國文課，是我家老二文青男國中時期的床頭枕邊聖經！

說真的，我自己個人十分喜歡唐詩。以前曾跟著父親坐郵輪遊覽長江三峽，我隨身攜帶的，就是一本小小的《唐詩三百首》，雖說年輕時還無法完全領略唐詩的美麗，一旦身歷其境、滿目盡是壯闊山景，再對照讀過的詩句，自然而然就會引發共鳴。

後來長大，旅居美國多年，秋天時候看到滿目紅透的楓葉，腦海中就突然出現一首詩：

遠上寒山石徑狹，白雲深處有人家，停車坐看楓林晚，霜葉紅於二月花。

原來楓葉，真的比花朵還要紅！而且整棵樹都是火紅的！我這個在四季如春的寶島台灣長大的孩子，面對這樣的景色，唐詩的情境，才突然有了真實的意義。

每個詩人、詞人都有自己最狂的心聲，能成為「大家」，果然不是浪得虛名。

夏昆老師融合電影、音樂、哲學，跨界解讀唐詩和宋詞，讓文學不那麼遙遠。

也因為如此，我十分感謝老師小時候讓我背誦過許多唐詩，當時覺得麻煩，但長大後身歷其境、心有所感時，那些詩句就會自動浮現在腦海中，情景交融。如果我小時候完全沒有背過唐詩，是不可能會有那些體驗的。

文青男也有類似的感受。讀這套書，他深深體會到作者把唐詩、宋詞講得十分的浪漫而輕鬆，讓他欲罷不能，也愛上了讀詩讀詞。

記得有一次，弟弟的小提琴弦鬆了，請二哥幫忙修理，他自言自語說：真是無可奈何……

我在旁邊馬上接了句：花落去！

他想了一下，又對我說：似曾相識……

我開心的接著說：燕歸來！

然後他笑著說：原來我喜歡讀唐詩，是像了媽媽呀！

國中生活，尤其是國三考生時期，課業壓力十分繁重，每天文青男都像被榨乾似的蹣跚回家，但是，週末有空時，他就抱著這兩本書，喜愛的一直讀！因為這是他舒壓療癒的心靈寄託。

讀詩，能夠給人美與善的體驗，一點也沒錯！

影音延伸閱讀

中國詩詞大會
挑戰者：夏昆

213

《保育頑童的快樂童年筆記
｜杜瑞爾‧希臘狂想曲》

作者：傑洛德‧杜瑞爾
出版社：野人

學習關鍵字
溫馨勵志小說、童年、
成長、幽默、希臘

特色
真實版《湯姆歷險記》
＋西方版幽默《浮生六
記》，廣受全球好評。

孩子樂讀指數
★★★★★

父母教育指數
★★★★☆

內容及重點

　　作者杜瑞爾與家人為了逃離老是烏雲密布、陰雨不斷的英國，移居到充滿陽光的希臘，並在科孚島這座美麗小島上生活。

　　作者幽默生動的文筆記錄了希臘島居的五年生活，也是他的經典代表作品。

小熊媽的推薦理由

　　《希臘狂想曲》系列，是作者杜瑞爾以獨特的幽默感、敏銳觀察力和想像力，描述親人、有趣的朋友、科孚島民，以及開啟他一生熱愛動物的珍貴歲月，不少人推崇本書是「全世界最快樂的童年筆記」！

　　原本大樹文化出的《希臘三部曲》，於 2005 年絕版，被獲選為誠品網路書店「讀者票選絕版好書」。幸運的是，2007 年 3 月由野人文化全新改版上市，讓讀者可以繼續收藏這套好書。

　　譯者唐嘉慧曾仔細說明：

　　「原著的英文版為三部曲，但篇幅及厚度都對小讀者不太友善，為方便孩子閱讀，野人將之分為五冊，原著第一部《我的家人與其他動物》變成《追逐陽光之島》和《酒醉的橄欖樹林》；第二部《鳥、野獸與親戚》即為《桃金孃森林寶藏》和《貓頭鷹爵士樂團》；第三部《眾神的花園》不變。」

　　作者傑洛德‧杜瑞爾（Gerald Durrell，1925 ～ 1995），是一位舉世聞名的「保育頑童」。1925 年生於印度，7 ～ 14 歲

的少年時期在未受文明科技汙染的希臘科孚島上度過，體會許多大自然的純真與快樂；母親對他的教養十分放任，哥哥又是知名作家，是個一生只上過一年小學，卻跨越生物世界、文學界的奇才。

　　他六歲立志建造屬於自己的動物園，22 歲開始籌組採集動物遠征隊，足跡橫跨亞、非、澳、美洲大陸；34 歲完成幼時的夢想：成立動物園！並全心投入挽救瀕臨絕種的動物，並擁有杜倫、肯特、耶魯大學頒發榮譽博士學位頭銜。

　　傑洛德‧杜瑞爾曾說：

　　「科孚的童年生活塑造了我的一生，倘若我果真擁有梅林的魔法，我願給每一個孩子我童年的禮物。」

　　本書的確是作者不只給孩子、更是給廣大讀者的美麗禮物！也讓我想到以前在美國中西部的鄉居生活。全書充滿燦爛的陽光、自然的情懷。

　　孩子在書中可以欣賞到作者超級冷面笑匠的功力，就算只是描寫生活瑣事，也能既有趣又生動。我個人看此書的時候，常常不自覺爆出一陣狂笑，有時也會偷笑、會心一笑。建議家長可以與孩子一起讀讀此書，真的妙不可言。

影音延伸閱讀

影集《杜瑞爾一家 The Durrells》

英文小說朗讀（第一部）

Level III

基本書單

高手書單

書中穿插許多作者自己手繪的插圖，充滿童趣。

《魔電聯盟套書》（全套 7 冊）

作者：理查‧保羅‧伊凡斯

出版社：未來出版

學習關鍵字

科幻小說、罕見疾病、祕密社團

特色

美國《紐約時報》第一名暢銷作家，17 次蟬聯暢銷書榜、北市圖「好書大家讀」入選好書、榮登美國《紐約時報》、亞馬遜網路書店、邦諾書店暢銷書排行榜第一名、美國亞馬遜網路書店五顆星讀者書評高達 5,300 篇！風靡全球的青少年科幻小說。

孩子樂讀指數

★★★★★

父母教育指數

★★★★

內容及重點

一群有超能力的少年，面對邪惡的跨國陰謀、難以預料的艱難任務、還有情竇初開的戀情……作者將妥瑞氏症患者，塑造成打擊罪犯組織的勇敢角色，精彩生動。

小熊媽的推薦理由

本書主角的設定比較特別，不像是英雄，反而是很遜的遜咖，他還有妥瑞氏症的問題，是個單親家庭的弱勢孩子。

不過，他卻有特別的能力：他會放電！而他與好友結成了一個《魔電聯盟》，一起發掘為何他有超能力的祕密！

想當然，主角即將面對的，是一個邪惡的集團，集團的首腦控制了一些跟他很類似的超能力少年少女，表面上是在照顧他們，並給予他們花不完的金錢與物質享受，但是私底下，卻要他們泯滅良知，做一些殺人不眨眼的邪惡勾當。

男主角是邪惡集團最後一個找到的超能力少年，卻也是最難搞定的一個，為了威脅男主角聽從他們的控制，邪惡集團綁架了男主角最愛的母親、以及他喜愛的一位女同學，藉以脅迫男主角聽他們的話。

這部小說中讓我佩服的是：男主角並沒有因為被威脅，而改變了他選擇正義的原則，也因為如此，他開始吸引一些戰友，包括了最初在學校裡霸凌他的人、後來也站在他身旁，與他一起對抗邪惡勢力！

在小說中也有提到許多不同國家的冒險，其中有一集，男主角與朋友們到台灣解救一位天才少女！老實說，看到美

國暢銷的青少年小說把場景搬到台灣，真是一個驚喜；這一集我和孩子都很仔細的看了一遍，感覺十分親切。

此外，作者在每一集安排不同國家場景，例如亞馬遜叢林、墨西哥等，增添了許多閱讀與旅遊的樂趣！

這套書的情節安排十分的緊湊，感覺就像看電影一樣，讓人捨不得放下書。十分推薦國小高年級到國高中學生閱讀！

影音延伸閱讀

第 25 號囚室

變種電鼠危機

《我是馬拉拉（青少年版）》

作者：馬拉拉·優薩福扎伊、派翠西亞·麥考密克

出版社：愛米粒

學習關鍵字

性別教育、傳記小說、女性成長故事

特色

2014 年「諾貝爾和平獎」得主、2014 & 2013 年「諾貝爾和平獎」最年輕候選人、獲頒「巴基斯坦國際青年和平獎」、「國際兒童和平獎」、《Time 時代雜誌》年度風雲人物第二名。

孩子樂讀指數

★★★★

父母教育指數

★★★★★

內容及重點

馬拉拉·優薩福扎伊（Malala Yousafzai）是位巴基斯坦女孩，為了倡導受教育的基本權利而遭受塔利班迫害，但她仍無懼地為女性發聲。她在 2014 年榮獲諾貝爾和平獎，這位最年輕得獎者的故事，一直被全世界傳頌。

小熊媽的推薦理由

性別教育是中小學的熱門議題。近年來，台灣女嬰出生比率不自然地下降，是個隱憂。其實在現代社會，女性也能很優秀、不應再受傳統觀念歧視。

本書的主角：馬拉拉，因家鄉常遭到恐怖分子的襲擊，受教育權也遭受威脅：塔利班廢除了女校、禁止女孩上學。她從十歲開始提倡少女教育的活動：以筆名高爾·馬凱（Gul Makai）在 BBC 英國廣播公司的部落格，發表在塔利班統治下的生活點滴。馬拉拉同時自願接受《紐約時報》拍攝一部關於巴基斯坦教育現況的紀錄片。

但為正義發聲，總是有許多危險的，2012 年馬拉拉成為塔利班的攻擊目標，在學校返家的途中遭到槍擊。身中三槍的她最後很幸運地活了下來，繼續提倡女性教育活動。

因為她的勇氣與理念被世人讚許，才 17 歲便成為「諾貝爾和平獎」創設以來最年輕的得獎者！更獲得其他獎項，如：「國際兒童和平獎」、「沙卡洛夫人權獎」、「國際特赦組織良心大使獎」 —— 使得她的人生更具傳奇色彩，她的故事也成為許多國家性別教育的重要教材。

馬拉拉的故事，我認為有幾個教育上的意義：

1. 珍惜得來不易的和平：戰爭是殘酷的，戰爭下的孩子常受到各種迫害，不論是以宗教之名或種族衝突；所以要盡可能珍惜和平、維護和平。

2. 珍惜受教育的權利：世界上還有許多孩子想受教育卻苦無機會，我們能夠受完整的教育，不論男女，都該好好珍惜。

3. 重視女性權利：自古以來，女性常被歧視或剝削，現代的女性，不論在家庭或在職場，還是常受到不平等待遇，女性的權利應該被正視、伸張；男女平權的觀念也該從小教育。

影音延伸閱讀

馬拉拉聯合國演說

郝廣才談馬拉拉

Level III

基本書單

高手書單

搭配真實照片，可讓人更貼近主角的生活樣貌。

《夢想，零極限》

作者：陳彥博
出版社：親子天下

學習關鍵字
極限運動、馬拉松、成長故事、傳記

特色
台灣知名超馬選手的自傳性作品，十分勵志。

孩子樂讀指數
★★★★☆

父母教育指數
★★★★★

內容及重點

超馬選手陳彥博，是 2013 年台灣十大傑出青年。他曾在五年時間內，成功完賽七大洲八大站的超馬比賽，本書是他以自己的故事，鼓勵孩子勇敢追夢的自傳書。

小熊媽的推薦理由

這本書是小熊哥六年級獲得全市模範生時，拿到的禮物。一開始當他看到書封，其實有些失望 —— 因為沒想到市長送的是一本書！（他覺得如果是 USB，會比較實用）結果看完以後十分感動，直說：「這禮物真好！雖然跟我想的不一樣，但更有意義！」

之後他常與我分享陳彥博的事情，也加入他的臉書粉絲團。我才知道：陳彥博是台灣知名的極地超級馬拉松選手，他曾用五年的時間完成世界七大洲、八大站超級馬拉松，多次名列亞洲最年輕的完賽紀錄者！

陳彥博之前曾寫過一本《零下 40 度的勇氣》，本書是他相隔三年後再度出版的極地賽事回憶錄，書中記錄了2010 ～ 2012 年南極洲 100 公里超級馬拉松、南非喀拉哈里沙漠 250 公里超級馬拉松，以及南美洲巴西 170 公里 non-stop 冒險賽的歷程。

讓小熊佩服的，是陳彥博歷經了咽喉癌開刀、住院，以及寵物狗皮皮過世的這兩段故事。作者對生命的無常、失落的體悟，讓小學生也能引起共鳴。

小熊在上國中後，開始喜歡慢跑、參加路跑比賽，除了

受日本作者高木直子的《一個人去跑步》影響，這本書也給了他許多啟發。小熊看到書中許多極地超馬的圖片，除了羨慕作者能去這麼多神奇的地方，對於陳彥博不屈不撓的奮戰精神，也很敬佩。

老實說，如果兒子們也要跟陳彥博一樣，去跑極地馬拉松，我可能不會同意；不過跟陳彥博一樣去跑馬拉松，我絕對舉雙手大力支持！

台灣孩子因學業與環境限制，普遍缺乏運動，能有好榜樣激勵孩子運動，應是許多父母的佳音。這也是我推薦此書的原因。

小熊曾記下一段陳彥博在接受專訪時說的一句話，當作自己的座右銘，在此也與大家分享：

「當專注於追求夢想時，你可以帶給更多人正面的力量……幫助更多人去改變自己，這才是夢想！」

影音延伸閱讀

陳彥博在 TED 台北的演講

民視《台灣名人堂》陳彥博介紹

Level III

基本書單

高手書單

透過這些直擊現場的照片，讓孩子更能體會夢想的正面力量。

《漂鳥集（中英對照）》

作者：泰戈爾
繪者：三娃
出版社：好讀

學習關鍵字
詩集、泰戈爾、哲學、
人生哲理

特色
印度詩人泰戈爾傳世最
著名的一本詩集。不用
得獎，就是一本傑作。

孩子樂讀指數
★★★★

父母教育指數
★★★★☆

內容及重點

　　本書收藏了印度文豪泰戈爾，所寫的 325 首雋永詩文，並有精緻插圖，中英雙語對照，是愛詩者不捨釋手的好書。

小熊媽的推薦理由

先一起來欣賞本書的詩：

If you shed tears when you miss the sun,

you also miss the stars.

你若因為錯過太陽而流淚，那你也將錯過群星。

The sands in your way beg for your song and your movement,

dancing water.

Will you carry the burden of their lameness?

舞動的流水啊，你途中的泥沙正乞求著你的歌聲與流動。

你是否願意背負起這重擔？

Let life be beautiful like summer flowers

and death like autumn leaves.

但願

生命美如夏日的鮮花，

死亡美如秋天的紅葉。

　　印度人說：每天讀泰戈爾一行詩，忘卻世上一切痛苦；此點我很有同感。讀過泰戈爾的詩後，心中會有一種對美的

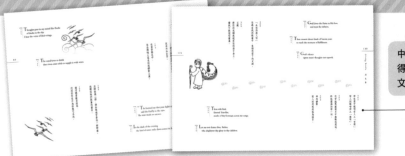

中英對照的版本，讓人得以同時領略中文與英文詩句的美妙。

感動與平靜，還有一些淡淡的感傷。

　　泰戈爾（Rabindranath Tagore, 1861-1941），出生於加爾各答顯貴家族，天資聰穎，八歲起開始寫詩，十二歲創作劇本，青少年時代即不斷發表詩作，後赴英倫深造。

　　泰戈爾十分喜愛旅遊，一生創作豐碩，含括詩、小說、戲劇、散文等，附帶一提：連孟加拉與印度國歌的歌詞及曲譜，均由泰戈爾所作。

　　他於 1913 年發表著名的《新月集》英譯本，文中充分展現崇尚大自然之情懷，同年以英譯的《吉檀迦利》榮獲諾貝爾文學獎，也是第一位獲得諾貝爾文學獎的亞洲人！

　　1916 年，他發表《漂鳥集》的英語版本，馬上深深打動全世界，愛爾蘭詩人葉慈也對它讚譽有加。我在高中時第一次讀到此書，頓時覺得心靈如同被洗滌過，感覺神清氣爽又單純美好。所以，我收藏過好幾個版本的《漂鳥集》，有時候也會選幾首印出貼在牆上，與孩子共賞。

　　我一直覺得：如此偉大的詩人作品，孩子們一定要讀一讀！也許小學或國中階段還不能完全明瞭體會，但是慢慢會在心中發酵，成為滋養心靈的種子。

影音延伸閱讀

網友製作的泰戈爾詩集精選

泰戈爾詩集另一朗讀版本

Level
III

基本書單

高手書單

《生如夏花》
泰戈爾新月集 & 漂鳥集
【中英對照｜絕美精裝版】
(野人文化出版)

《中小學生必讀科學常備用書》

作者：市村均、學研 PLUS
出版社：小熊出版

學習關鍵字
科學、圖解

特色
針對現行國中自然科教材設計，深入淺出，適合小學生先修，更適合中學生自修，作為課本的延伸輔助教材。是中小學生培養自然科學實力的最佳百科。本套書最大的特色是採用大量精彩照片與插畫，圖解不易理解的知識。

孩子樂讀指數
★★★★☆

父母教育指數
★★★★★

內容及重點

符合新課綱，完整囊括生物、地球科學、化學與物理學科四大科目，全彩圖解、讓孩子們好讀易懂，清楚了解知識概念，是小學生先修、中學生自修及奠定會考實力的補充教材。

小熊媽的推薦理由

這一套書，是我在兒子國中時推薦他閱讀的輔助教材，讀完後他說：對於學習自然科學，真的有很大的幫助！

記得我年輕時很喜歡看《牛頓雜誌》，我家孩子在小學時，也喜歡看《新小牛頓》以及《少年牛頓》，這些雜誌的特點，就是用很棒的電腦繪圖，來說明科學界的一些現象與原理。

很可惜的是：《牛頓雜誌》後來停刊了，後來我讓孩子試著去讀《科學人》雜誌，不過《科學人》雜誌對於國中和小學生來說，真的太難。幸好，後來有《科學少年》雜誌，也很寓教於樂。

我建議家長可以搭配科學雜誌與這套書，給孩子盡早閱讀。最適合的年齡是國小高年級到國、高中。

這套書，是由日本人所編輯企劃，在內容的嚴謹度和圖畫的精彩度來說，果然品質保證！對於抽象、難理解的概念，利用照片、插畫、圖表具體解說，讓讀者有「原來是這樣啊！」的領悟。

當時書剛送到我家時，國中生文青男親自仔細的看一

遍，然後點頭告訴我說：「真的跟國中自然十分相關，但是內容更活潑、更美麗、更深入！」

影音延伸閱讀

套書介紹

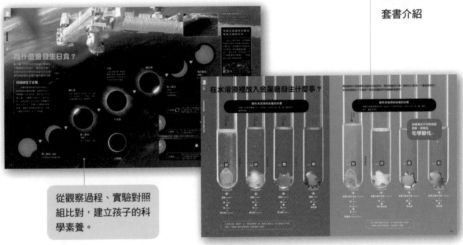

從觀察過程、實驗對照組比對，建立孩子的科學素養。

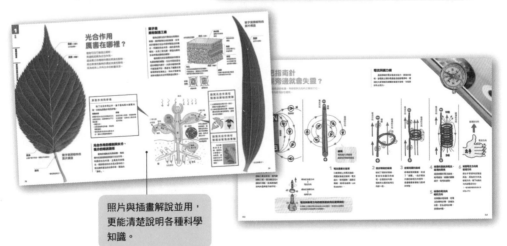

照片與插畫解說並用，更能清楚說明各種科學知識。

《哲學超圖解》1、2
《社會學超圖解》

作者：田中正人
出版社：野人文化

學習關鍵字
哲學入門、圖像思考、
漫畫小百科

特色
以圖像符號的漫畫風格
來呈現作者的哲學思
考；簡潔而正確地介紹
偉大哲學家與哲學系
統！

孩子樂讀指數
★★★★☆

父母教育指數
★★★★☆

內容及重點

　　本書是一本將艱澀難解的哲學以淺顯、平易近人方式解說的劃時代「圖鑑」；內容是哲學入門嚮導、哲學史綜覽。

　　對於在需要學習哲學課程的人而言，是相當好的複習書。書中也列出重要參考文獻，也可做為想進一步深入學習的入門參考。

小熊媽的推薦理由

　　這一本書很有趣，因為哲學一直讓人感覺是很冷門難懂的科目，但是作者卻讓讀者用看漫畫的心情，來了解哲學！

　　哲學，本來就是很抽象的學問，如何用具象的圖畫來呈現？是件很神奇的事情。這本書也是我家老二文青男入門哲學的第一本書。記得他小學六年級時，出版社編輯贈書給我，我拿到書還在想：這又是日本人喜愛的看圖說故事懶人包吧？沒想到，我家老二發現後拿過來看，就欲罷不能、停不下來！

　　書中介紹了柏拉圖的靈魂三分說、理想國；談論亞里斯多德的理論也滿多的，例如：形上學、理智的德性、倫理的德性，什麼是中庸？什麼是正義？

　　還有，什麼是斯多噶派、伊比鳩魯派？以及對近代哲學的孟德斯鳩、蒙恬、巴斯卡，都有幽默又簡單的描述。

　　除了人物解說之外，也有許多哲學概念的解說；比如說：什麼是我思故我在？為何巴斯卡說人是會思考的蘆葦？洛克等人的啟蒙主義是什麼意思？這些思想，並非一定要去

大學才能夠學得到，因為我家老二在國中時就已經讀過了，完全就是透過這一本書！

　　同場推薦同一系列的《社會學超圖解》。記得我大學上通識課程「社會學」，人山人海的教室裡面，所有的東西我都聽得霧煞煞，現在也忘光光了！看到這本書，我在想：當初幹麼要浪費時間去上課呢？好好讀一讀這本，就夠了！

　　推薦給喜歡思考的國高中生與大人們。

影音延伸閱讀

台大哲學系
苑舉正教授推薦

【哲學蟲】
聊史上最萌哲學書！

「你讀哲學系
要幹嘛？」

造型可愛的小紅人，
在各種哲學概念中穿
針引線，原來哲學沒
這麼難懂！

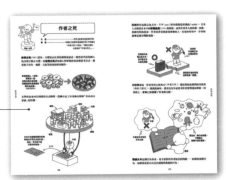

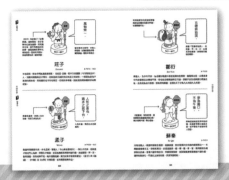

野人家 159

小熊媽給中小學生的經典&悅讀書單101+

分年級、挑好書，愛上閱讀品格好，
培養孩子美感品味 x 邏輯思考 x 寫作表達力
【爸媽許願修訂版】

作　　者	小熊媽（張美蘭）
社　　長	張瑩瑩
總 編 輯	蔡麗真
責任編輯	蔡麗真
協力編輯	黃怡瑗
校　　對	黃怡瑗、陳瑾璇
行銷企畫	林麗紅
封面設計	周家瑤
內頁排版	洪素貞

讀書共和國出版集團

社　　長	郭重興
發行人兼出版總監	曾大福
業務平臺總經理	李雪麗
業務平臺副總經理	李復民
實體通路協理	林詩富
網路暨海外通路協理	張鑫峰
特販通路協理	陳綺瑩
印務主任	黃禮賢
出　　版	野人文化股份有限公司
發　　行	遠足文化事業股份有限公司
	地址：231 新北市新店區民權路 108-2 號 9 樓
	電話：（02）2218-1417　傳真：（02）8667-1065
	電子信箱：service@bookrep.com.tw
	網址：www.bookrep.com.tw
	郵撥帳號：19504465 遠足文化事業股份有限公司
	客服專線：0800-221-029
法律顧問	華洋法律事務所　蘇文生律師
印　　製	凱林彩印股份有限公司
初　　版	2016 年 11 月
二　　版	2021 年 1 月

國家圖書館出版品預行編目（CIP）資料

小熊媽給中小學生的經典書單 101+：分年級、挑好書，愛上閱讀
品格好，培養孩子美感品味 x 邏輯思考 x 寫作表達力 / 小熊媽（張
美蘭）著 .-- 二版 .-- 新北市：野人文化股份有限公司出版：遠足
文化事業股份有限公司發行, 2021.01
　　面；　公分 .--（野人家；159）
　ISBN 978-986-384-475-4（平裝）

1. 推薦書目 2. 青少年讀物

012.3　　　　　　　　　　　　　　　　　109021618

野人文化
官方網頁

野人文化
讀者回函

小熊媽給中小學生的
經典 & 悅讀書單 101+
【爸媽許願修訂版】

線上讀者回函專用 QR CODE，
您的寶貴意見，將是我們進步
的最大動力。

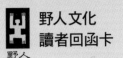

野人文化
讀者回函卡

書　名 _____

姓　名 _____ □女 □男　年齡 _____

地　址 _____

_____

電　話 _____ 手機 _____

Email _____

□同意 □不同意　　收到野人文化新書電子報

學　歷 □國中(含以下) □高中職　□大專　□研究所以上
職　業 □生產/製造　□金融/商業　□傳播/廣告　□軍警/公務員
　　　　□教育/文化　□旅遊/運輸　□醫療/保健　□仲介/服務
　　　　□學生　□自由/家管　□其他

◆你從何處知道此書？
　□書店：名稱 _____　□網路：名稱 _____
　□量販店：名稱 _____　□其他

◆你以何種方式購買本書？
　□誠品書店　□誠品網路書店　□金石堂書店　□金石堂網路書店
　□博客來網路書店　□其他 _____

◆你的閱讀習慣：
　□親子教養　□文學 □翻譯小説 □日文小説 □華文小説 □藝術設計
　□人文社科　□自然科學　□商業理財　□宗教哲學　□心理勵志
　□休閒生活（旅遊、瘦身、美容、園藝等）　□手工藝／DIY　□飲食／食譜
　□健康養生　□兩性　□圖文書／漫畫　□其他 _____

◆你對本書的評價：（請填代號，1.非常滿意　2.滿意　3.尚可　4.待改進）
　書名 ____ 封面設計 _____ 版面編排 _____ 印刷 _____ 內容 _____
　整體評價 _____

◆你對本書的建議：
_____
_____
_____
_____

野人文化部落格 http://yeren.pixnet.net/blog
野人文化粉絲專頁 http://www.facebook.com/yerenpublish

23141
新北市新店區民權路108-2號9樓
野人文化股份有限公司 收

請沿線撕下對折寄回

野人

書號：0NFL4159